A CURA PELAS MÃOS

RICHARD GORDON

A CURA PELAS MÃOS

ou

A PRÁTICA DA POLARIDADE

Tradução de
Ma Dhyan Beatriz

EDITORA PENSAMENTO
São Paulo

Título do original:
Your Healing Hands
UNITY PRESS – SANTA CRUZ

Edição	Ano
6-7-8-9-10-11-12-13	91-92-93-94-95

EDITORA PENSAMENTO LTDA.
Rua Dr. Mário Vicente, 374 – 04270 – São Paulo, SP – Fone: 272-1399

Impresso em nossas oficinas gráficas.

DEDICATÓRIA

Este livro é dedicado a todos os meus professores e amigos que ajudaram a torná-lo uma realidade. E é dedicado principalmente a você, leitor, e à descoberta das suas próprias mãos curadoras.

SUMÁRIO

PREFÁCIO

Este livro é uma introdução ao equilíbrio da energia polarizada. E destaco a palavra introdução, já que o sistema de polaridade é vasto como um continente não explorado, ou como um novo ramo de ciência, pois há muito mais teoria e informação sobre este assunto do que poderia ser apresentado nestas poucas páginas.

O objetivo deste texto é familiarizar o leitor no sistema de polaridade, explorar o seu potencial curador e expandir as fronteiras que nós mesmos vivenciamos.

NOSSAS MÃOS SÃO UMA DÁDIVA

Através de nossas mãos, podemos canalizar o amor existente em nossos corações no sentido de aliviar o sofrimento daqueles que nos rodeiam.

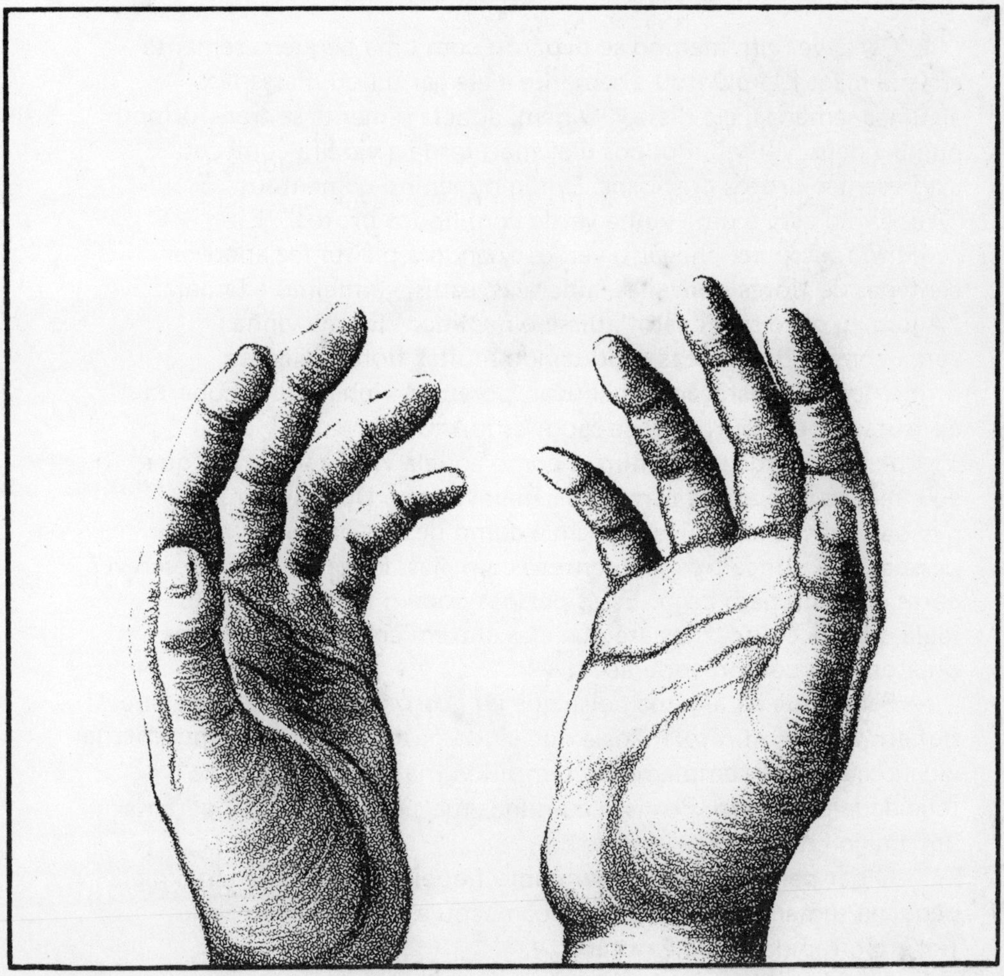

INTRODUÇÃO

Certa vez um menino se deparou com uma pequena semente em sua mão. Ele plantou a semente e ela germinou. Passadas algumas semanas, ele disse: "Olhem, aquela semente se transformou numa videira verde". Poucos dias mais tarde a videira começou a apresentar brotos graciosos. Então o menino comentou: "Ah, então esta é uma vinha verde com lindos brotos". Ele acreditou nisso até chegar o verão, quando a planta fez aparecer centenas de flores douradas, amarelas, azuis, vermelhas e laranja. "Agora eu sei o que é isto", disse o menino. "É uma vinha verde com lindos brotos produzindo muitas flores de cores brilhantes." Na estação das chuvas, porém, a vinha estava coberta de frutas de cor púrpura, de sabor esquisito.

A polaridade, para mim, é como aquela vinha: cada vez que eu a redescubro ela se torna mais maravilhosa. Descrevê-la a pessoas que nunca a vivenciaram é como descrever pedras raras a pessoas que nunca tiveram contato com elas. É como tentar descrever cores a um homem cego. Essas pessoas podem ter uma vaga idéia do que é dito, mas até que elas entrem em contato com os objetos, não compreenderão.

Saber que há alguma coisa que eu posso dar, alguma coisa que flui através das minhas mãos e que ajuda outras pessoas a experimentar vida e saúde mais amplamente, tem sido uma fonte de enorme felicidade para mim. Por isso eu nunca me sinto impotente perante um amigo com dor.

Olhar para trás e perceber como fiquei surpreso quando aquela pequena semente que eu plantei começou a crescer, brotar e florir tão rapidamente é notável.

Na época de colégio eu sentia que meus estudos eram muito abstratos para nutrir diretamente minha vida. Eu queria ser capaz de personalizar o que estava aprendendo e expressar o meu potencial criativo, e não simplesmente exteriorizar fatos com a finalidade de passar nos exames. Minhas intenções eram criar um estilo de vida simples e gratificante para expressar minha vida com amor e honestidade, deixar os meus medos para trás e explorar os mistérios dentro e fora de mim. Com esse objetivo deixei o colégio para cursar um estudo independente e, nestes últimos dez anos, tenho estado profundamente envolvido no movimento de crescimento pessoal. Mas meu interesse na cura natural e no equilíbrio de energia polarizada começaram somente quando eu me conscientizei completamente da minha própria saúde.

Da Califórnia mudei-me para as montanhas do México, acima da cidade de Tepoztlán. O povo dali tinha um espírito encantador, livre da velocidade neurótica e da paranóia com as quais eu tinha crescido por mais de duas décadas em Los Angeles. Durante esse tempo eu estudei ioga, nutrição, ervas, jejuns e escritos espirituais. Para complementar minha educação, fui para a Escola Christos de Cura Natural, em Taos, Novo México, e estudei com o Dr. William LeSassier, ND. Estudamos ervas medicinais e técnicas terapêuticas, tais como acupressura, reflexologia, shiatzu, massagem muscular profunda, massagem linfática e adaptações selecionadas quiropráticas, assim como métodos de relaxamento, visualização e meditação para cura. Quando nos foi apresentada a polaridade não surgiu em mim nenhuma esperança especial, já que todas aquelas diferentes técnicas eram fascinantes.

Após três dias de estudos sobre a polaridade acordei muito fraco, quando então, naquela mesma manhã, minha amiga Valerie se ofereceu para me dar uma sessão completa de polaridade.

Valerie trabalhou em mim por quarenta minutos, e a polaridade transformou o meu desânimo em total bem-estar, fato que me deixou profundamente impressionado.

Aprendi, então, que o sistema de polaridade tem uma visão integral para com a saúde e para com o curar. Isto significa que a polaridade lida com o todo da pessoa: pensamentos e atitudes, necessidades de nutrição, exercícios especiais conhecidos como "ioga polarizada" e, é claro, a sessão polarizada para condicionar o corpo em sua auto cura. Devo admitir que, logo que comecei a dar sessões de polaridade, encontrei dificuldades em acreditar que, pelo simples fato de pousar minhas mãos sobre alguém, poderia ser útil a essa pessoa. Estava certo que somente uma pessoa dotada poderia curar outras com suas mãos. E apesar do meu ceticismo, que durou mais de ano, efetivamente obtive bons resultados.

Uma semana após completar a sessão geral de treinamento de polaridade, encontrei uma mulher com uma forte dor, que o médico diagnosticara como resultante de gravidez tubária. Então disse a ela que eu acabara de aprender um método chamado polaridade, que poderia ajudá-la a relaxar. "Qualquer coisa", ela respondeu. "Eu tentarei qualquer coisa!"

Meia hora mais tarde ela dizia: "Eu não posso acreditar que estas sejam as minhas mãos! Eu não posso acreditar que estes sejam meus pés! Eu me sinto maravilhosa!"

Naquela mesma semana assisti a demonstrações do Dr. LeSassier sobre tratamentos no pescoço. Porém, o tratamento não estava podendo ser feito numa mulher, já que ela tinha muita tensão no pescoço. Nessas condições um tratamento completo requereria algumas semanas de massagem profunda. O pescoço dela doía após a demonstração, e por isso apliquei-lhe polaridade. Quinze minutos mais tarde chamei o Dr. LeSassier. Ele confirmou que os ossos do pescoço tinham voltado ao lugar e perguntou-me o que eu havia feito. "Eu apliquei a polaridade", disse. Desde então tenho testemunhado muitos exemplos onde ossos deslocados voltaram literalmente após uma sessão de polaridade.

Certa vez uma mulher veio a uma aula que eu estava começando. Ela disse que, apesar da assistência médica competente recebida nos últimos quinze anos, sua condição física progressivamente tinha se tornado pior. Ela estava desesperada por uma ajuda. Depois de dar ao grupo uma breve introdução sobre polaridade, selecionei cinco dos novos estudantes e formamos um círculo de polaridade em volta da mulher. Ao terminarmos, sua aparência era de ter remoçado dez anos. Sua face estava relaxada. Suas mãos pararam de tremer. Então, ela nos disse que nos últimos trinta anos não havia sentido tal paz, tal calma. Pela primeira vez, que se lembrasse, estava podendo deitar de costas sem pôr os joelhos para cima, no ar. E ela havia transpirado, sem o uso de remédios, pela primeira vez desde a infância. Uma semana mais tarde ela voltou para contar que um exame com raios X revelara que depois da sessão de polaridade metade da curva dupla em S, que ela tinha na espinha, tinha se corrigido.

Muitas vezes eu ficava surpreso e impressionado pela eficiência do método de polaridade. Uma mulher que estava com a menstruação atrasada em três semanas tinha o diagnóstico de infecção uterina. Comecei a aplicar-lhe polaridade e, enquanto trabalhava nos seus pés, quatro crianças quiseram me ajudar. Coloquei-as, então, nas várias posições do círculo de polaridade. Vinte minutos mais tarde sua menstruação começou, e ela se levantou muito aliviada. E contou que cada vez que uma das crianças a tocava ela sentia uma onda de luz dourada fluindo pelo seu corpo.

Durante uma palestra, eu estava fazendo demonstrações do movimento do ventre numa senhora de meia-idade. Quando parei o movimento senti uma energia enorme movendo-se através das minhas mãos. Então perguntei-lhe se ela sentira um formigamento no corpo. ''Não'', foi sua resposta. Porém, como a polaridade pode ser muito imprevisível mas sempre faz *alguma coisa,* perguntei se havia alguma parte do seu corpo onde ela sentia energia. ''Sim'', ela disse, ''estou sentindo um formigamento em minhas mãos''. ''Há alguma razão pela qual suas mãos precisem de energia?'', perguntei-lhe. Ela sacudiu a cabeça negativamente. Dez minutos mais tarde ela interrompeu a minha fala excitadamente para exclamar: ''A dor da artrite em minhas mãos sumiu!'' E ela não mencionara essa dor quando lhe perguntei, de tão acostumada que estava.

Com espanto, aprendi que a polaridade pode ser boa também para transtornos emocionais. Um exemplo extremo foi o de um homem que tomara LSD e começara a se sentir como um total fracasso na sua vida. Ele estava profundamente confuso e próximo da histeria. Depois de uma pequena polaridade, ele se sentou e disse que estava se sentindo muito melhor. ''Eu estava exagerando a proporção das coisas'', ele comentou. A polaridade o relaxou e o centrou, tirando a sua mente das fantasias mórbidas nas quais estava, sob a influência daquele poderoso alucinógeno.

Em outra ocasião em testemunhei o fato de um simples movimento de polaridade, o movimento do ventre, fazer maravilhas numa criança hiperativa, quando usado diariamente. Toda manhã, mais ou menos à mesma hora, esse menino perdia todo o controle — a ponto de a terapeuta descrever o seu comportamento como histérico. Então ensinei à terapeuta o movimento do ventre: primeiro teria que agarrar o menino e forçá-lo a se deitar para que ela pudesse fazer o movimento. Após alguns minutos de polaridade o menino dormia profundamente por uma ou duas horas. Depois de acordar, ele estava relaxado e apto para se relacionar normalmente com outras crianças. Algumas vezes ele até se desculpava com os outros por seu comportamento rude. A terapeuta ficou tão impressionada que ensinou para a mãe do menino o uso do movimento do ventre com resultados gratificantes.

Os efeitos da polaridade, porém, nem sempre são instantâneos, ou tão radicais. Pessoas com condições crônicas muitas vezes precisam de uma série de sessões em conjunto com uma dieta aperfeiçoada, exercícios e, o mais importante, atitudes e emoções positivas. Algumas vezes uma pessoa pode sentir-se pior temporariamente antes de sentir uma melhora. Outras vezes pode aparentar não ter sido ajudada de maneira alguma. Um de meus vizinhos foi um ótimo exemplo disso. Um dia ele deu um mau-jeito nas costas ao fazer exercícios. A dor foi tão grande que ele não podia se virar. Então, dei-lhe uma completa sessão de polaridade, mas que acabou sem ele sentir alívio. Um pouco inquieto, entrei em contato com uma das minhas professoras e contei o ocorrido. "Oh, eu não te falei?", ela riu. "Leva mais ou menos vinte e quatro horas para a polaridade fazer efeito nas costas." E na manhã seguinte meu vizinho estava em frente de sua casa, cortando lenha.

O que eu contei aqui é apenas um pequeno resumo das muitas experiências que tive. Cada vez mais os efeitos da polaridade superavam as minhas expectativas, aumentando assim a minha confiança nela. Agora reconheço que todos nós temos o poder de assistência na cura — não através de magia, mas através de uma simples ciência ampliada pelo nosso amor.

RECEBENDO

Um filme exposto, revelado e fixado não mais será sensível à luz. Então, deixe de lado conceitos expostos, revelados e fixos, e receba esta dádiva. No momento, esvazie sua taça a fim de que ela possa ser enchida.

SEÇÃO I

POLARIDADE

O equilíbrio de polaridade energética é um método simples e eficiente usado para causar um profundo relaxamento curador. É fácil de aprender, sutil, poderoso, seguro e alegre.

Empregando as correntes de força vital que naturalmente flui através das mãos de todos, podemos aliviar e equilibrar a energia de outra pessoa. Enquanto essa energia está fluindo livremente, experimentamos paz, alegria, amor e saúde.

Força Vital

A força vital é uma forma sutil de energia eletromagnética. É a corrente animadora da vida e uma realidade fisiológica no corpo.

Através dos séculos, a força vital tem sido rotulada com diferentes nomes por muitos povos. Não se trata de uma descoberta recente. Cristo a chamou "luz"; os russos, em suas pesquisas psíquicas, chamaram-na energia "bioplásmica"; Wilhelm Reich referiu-se a ela como "energia orgone"; os iogues da India Oriental chamam-na de "pran" ou "prana"; Reichenbach falou dela como "força ódica"; para os Kaunas, ela é "mana"; Paracelso chamou-a "munia"; o termo comum chinês é "chi" ou "ki"; manuscritos alquimistas falam de "fluido vital"; Eeman descreveu-a como "força x"; Bruner chamou-a energia "biocósmica"; Hipócrates chamou-a

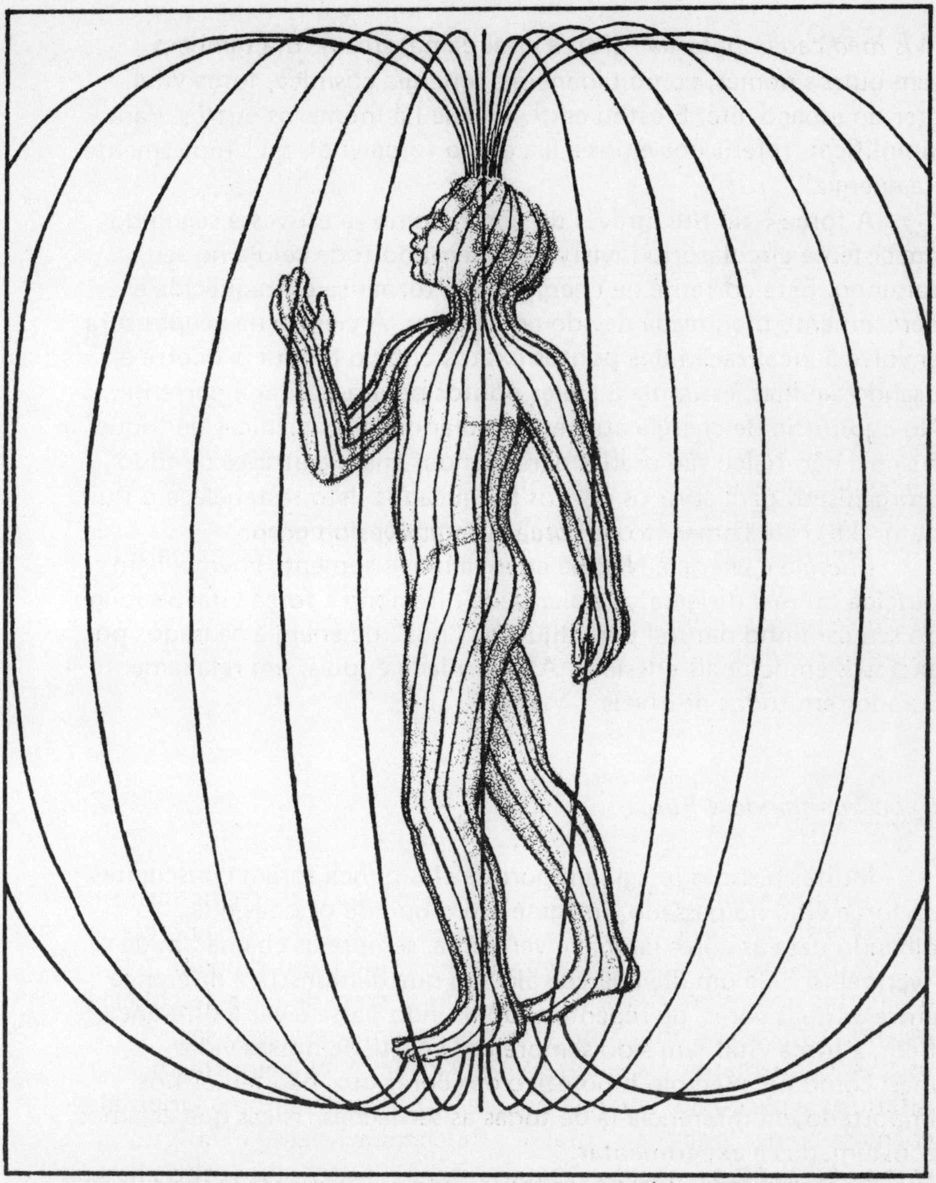

A força vital pode ser imaginada como um campo de energia circulando e penetrando o corpo. É a corrente que anima a vida e é direcionada naturalmente pela inteligência do corpo.

''*vis medicatrix naturae*'' (força vital da natureza). Ela também tem outros nomes, como bioenergia, energia cósmica, força vital, éter do espaço, etc. E estou certo de que há inúmeros outros. Para simplificar, referir-nos-emos a ela como força vital, ou simplesmente ''a energia''.

A força vital flui através do corpo como se estivesse seguindo um sistema circulatório invisível, carregando toda célula no seu caminho. Esta corrente de energia pode tornar-se enfraquecida e parcialmente bloqueada devido ao cansaço. A ciência da acupuntura envolve a localização dos pontos exatos onde o bloqueio ocorre e, usando agulhas, estimula aqueles pontos para restaurar a corrente. No equilíbrio de energia através da polaridade, as técnicas de toque físico e não-físico são usadas para mandar energia através de todo o organismo para abrir os pontos bloqueados. Isto restabelece o fluir natural e o alinhamento da força vital através do corpo.

Energia é energia. Não há energia má — somente energia bem dirigida ou mal dirigida. A polaridade direciona a força vital ao longo do seu caminho natural para diluir os ''nós'' de energia causados por excessos emocionais e físicos. A polaridade é, pois, um relaxamento curador em todos os níveis.

Experimentando a Força

Muitas pessoas imaginam porque elas nunca foram conscientes da força vital no passado. Imagine um grupo de pessoas que, olhando para as cores laranja e vermelha, sempre as chamaram de ''vermelho''. Se um dia aparece alguém que demonstra a diferença entre as duas cores, de repente todo mundo passa a ver a diferença. Bem, a força vital tem sido sempre uma parte de nossas vidas, mas, como no exemplo hipotético das cores, nós não temos nos importado em diferenciá-la de todas as sensações físicas que estamos acostumados a experimentar.

Mas a força vital pode ser facilmente experimentada. Friccione suas mãos vigorosamente uma na outra por um minuto. Agora, deixe-as separadas alguns centímetros uma da outra. Mova as suas mãos juntas e separadas, entre três centímetros a doze centímetros

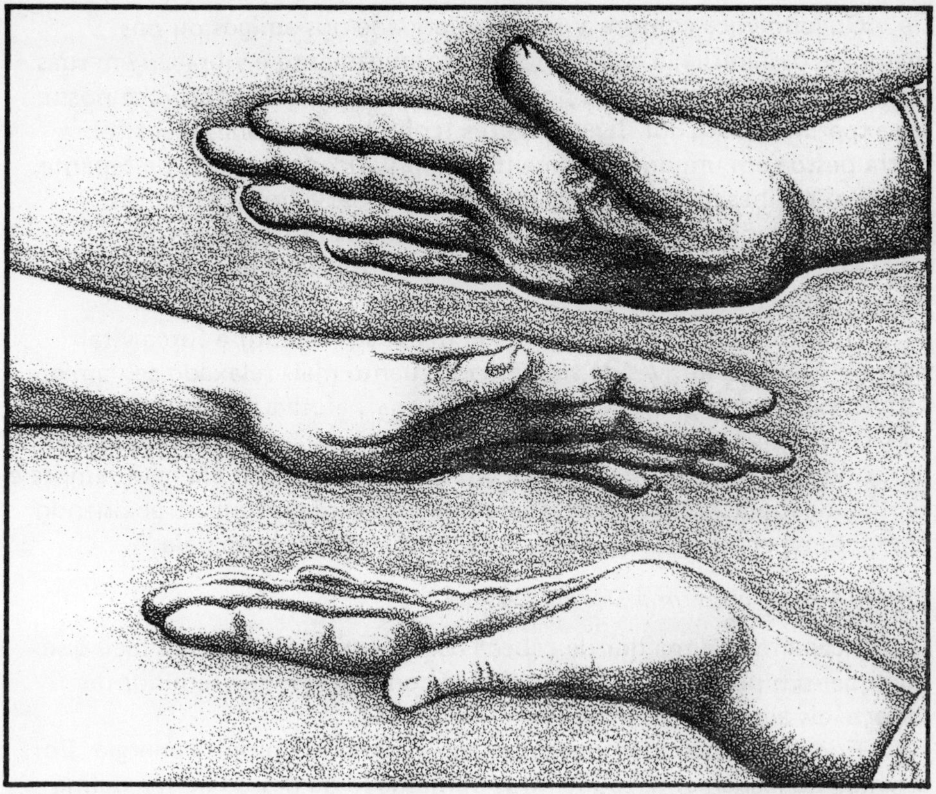

Algumas vezes a sensação da força vital é levemente perceptível, enquanto que em outras ocasiões ela é intensa. Se você não a sente da primeira vez, tente de novo com alguma outra pessoa.

de distância, e veja onde você sente a energia mais forte. Ela pode ser sentida como um formigamento, vibração, sensação do tipo frio ou quente, ou como um campo magnético.

Faça com que um amigo friccione as mãos também, e então ponha uma delas entre as suas. Mova as suas mãos para dentro e para fora, três a doze centímetros das dele. Dentro de poucos segundos a um minuto é quase certeza que você estará sentindo alguma coisa. Se, por exemplo, você sente um formigamento num lugar à volta dos seus polegares, quando a palma do seu amigo está diretamente entre as suas, seu amigo provavelmente sentirá o formigamento exatamente naquela parte da mão, bem entre os lugares onde você sente.

Quando você começa a usar a polaridade nos amigos ou nos membros da família, a experiência de formigamento e vibração em suas mãos será muitas vezes mais poderosa do que os efeitos que você possa ter experimentado. Por diversas vezes tenho posto minhas mãos sobre outra pessoa em um dos movimentos de polaridade quando, de repente, sinto em minhas mãos incrível energia em ondas e formigamentos. Minhas sensações correspondem às sensações da outra pessoa, que simultaneamente sente a energia em ondas e formigamentos através do seu corpo.

Quanto mais relaxado você está, mais fácil é sentir a força vital quando ela passa através de suas mãos. Quanto mais relaxado seu amigo estiver, quando você estiver canalizando, mais efetiva será a polaridade, e a sua própria experiência da força vital será ampliada. Não fique desencorajado se você não sente a força vital no começo, pois ela nem sempre é sentida de maneira destacada. À medida que você continua trabalhando com a força vital, você ficará aos poucos mais consciente dela.

Como Acabar com uma Dor de Cabeça

Acabar com uma dor de cabeça causada por tensão é tão fácil que qualquer um pode fazê-lo! Se você está com alguém que tem dor de cabeça, eis aqui o procedimento:

Friccione suas mãos vigorosamente e sinta sua própria energia. Em seguida, delicadamente toque atrás do pescoço da pessoa com a palma da sua mão direita. Ponha a sua mão esquerda a quatro centímetros da testa da pessoa. Peça ao seu amigo que faça dez respirações profundas, fazendo com que cada uma saia com um suspiro. A respiração profunda do seu amigo aumentará a sensação de força vital que você sentirá nas suas mãos. Mas se isso não acontecer, faça-o repetir a respiração novamente. Deixe a sua mão no lugar enquanto você puder sentir uma forte transferência de energia. Dentro de três ou quatro minutos a maior parte das dores de cabeça dissipar-se-ão, ou estarão grandemente aliviadas. Se a dor de cabeça persiste, será necessário fazer uma polaridade mais completa — como é demonstrado na sessão de polaridade um-a-um, página 40.

Quando você terminar, sacuda as mãos com força — como se você estivesse borrifando água. Então, lave as suas mãos na água fria para remover a energia estagnada.

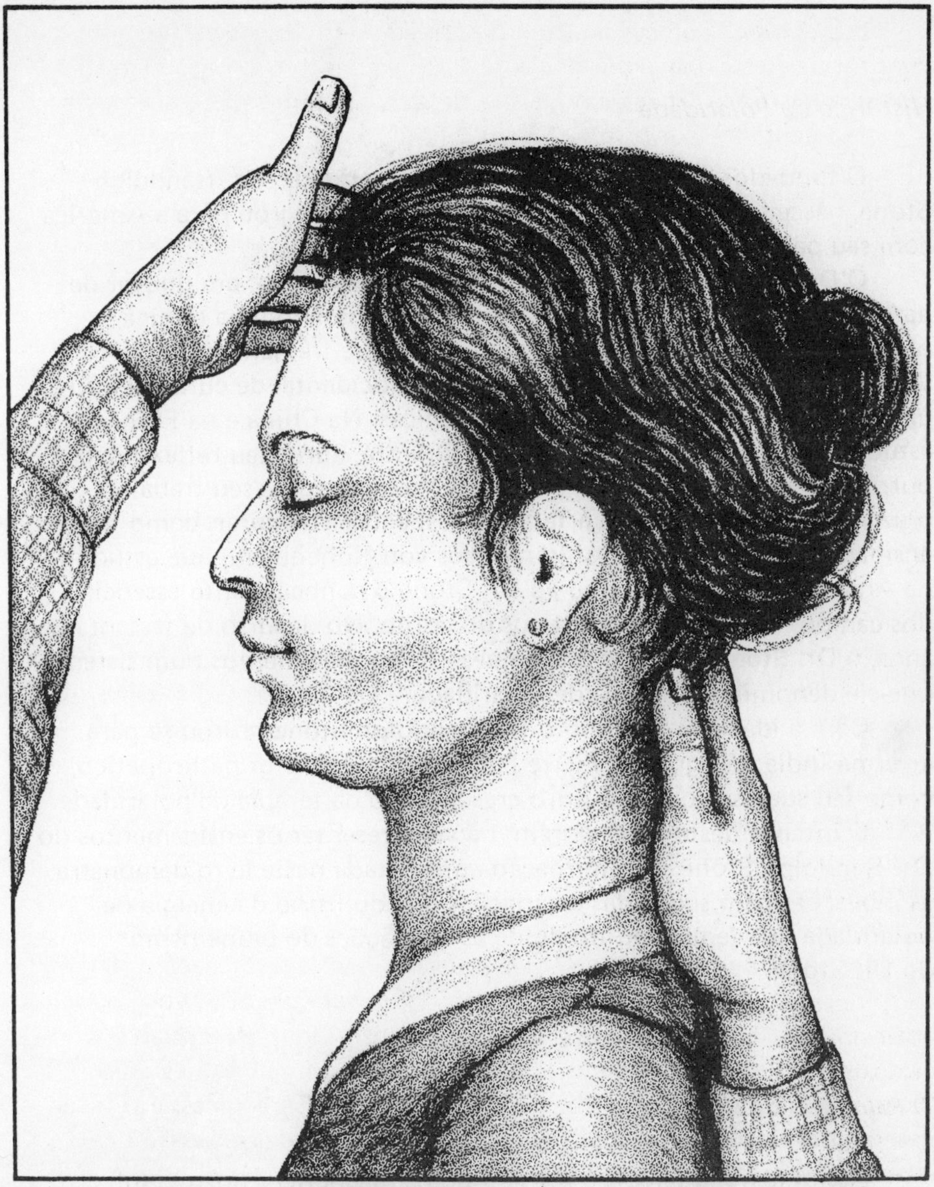

Acabando com uma dor de cabeça: Você pode sentir um formigamento de força vital mais intenso na sua mão esquerda nesta posição porque ela não está tocando fisicamente a testa do seu amigo.

Histórico da Polaridade

O fundador do sistema moderno de polaridade, Dr. Randolph Stone, nasceu na Áustria, em 1890. Mais tarde emigrou para a América com seu pai, fixando-se em Chicago e naturalizando-se.

O Dr. Stone tornou-se um médico em osteopatia, um doutor de naturopatia assim como um quiroprático, mantendo uma clínica particular de 1914 a 1972. Apesar de todo este treinamento, o Dr. Stone não estava satisfeito com a visão ocidental de cura e sentiu uma necessidade de explorar outras técnicas. Na China e na França estudou acupuntura e herbologia. No Oriente, aprendeu reflexologia e outras técnicas de massagens orientais. No decurso de seu trabalho cruzou seu caminho com a arte antiga espagírica de curar, como foi ensinada pelo grande Doutor Paracelsus von Hohenheim, que estudou na Arábia. Isto proporcionou ao Dr. Stone o conhecimento essencial dos campos sutis eletromagnéticos do corpo. No decurso de sessenta anos, o Dr. Stone integrou esta riqueza de conhecimentos num sistema que ele denominou Terapia de Polaridade.

Com a idade de 84 anos, o Dr. Randolph Stone retirou-se para viver na Índia, designando Pierre Pannetier, um doutor naturopático, como seu sucessor para o futuro crescimento da terapia da polaridade.

O intento deste livro, porém, não é apresentar os ensinamentos do Dr. Randolph Stone. A informação apresentada neste livro demonstra as inovações bem sucedidas e variações do equilíbrio da energia de polaridade que tem evoluído desde as aquisições do pioneirismo do Dr. Stone.

O Princípio da Polaridade

Assim como a terra e o sol têm pólos magnéticos norte e sul, também nossos corpos os têm. De fato, tudo o que fica na parte de cima do planeta tem uma carga positiva em cima e uma carga negativa na base.

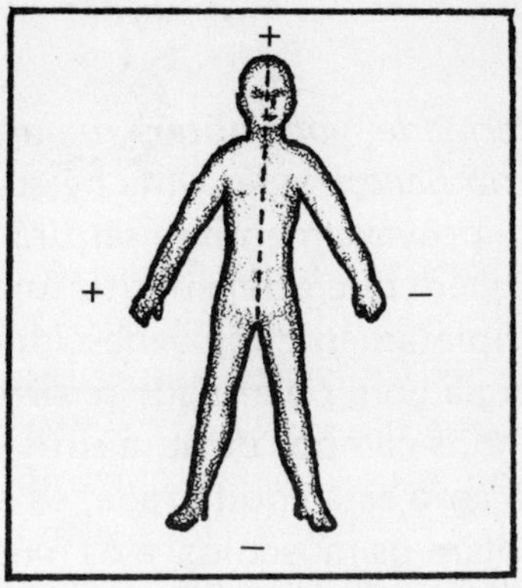

Os padrões de polaridade no corpo seguem os princípios eletromagnéticos encontrados por toda a Natureza.

A parte alta do corpo tem carga positiva.
Os pés têm carga negativa.
O lado direito tem carga positiva.
O lado esquerdo tem carga negativa.

(Estas cargas são comumente avaliadas usando-se voltímetros sensíveis.)

Quando os pólos positivo e negativo de magnetos são postos juntos, há uma corrente de atração entre eles. Igualmente, a energia de polaridade é dirigida magneticamente ao longo de uma das linhas de força para alinhar e estabelecer as polaridades vitais do corpo. Áreas bloqueadas no campo natural de energia do corpo são um desequilíbrio que o prático de polaridade trata, ligando:
a mão (+) direita ao lado (–) esquerdo do corpo, e ligando:
a mão (–) esquerda ao lado (+) direito do corpo.

Repetindo, se você está trabalhando com alguém, *sua mão direita vai para o lado esquerdo da pessoa, e sua mão esquerda vai para o seu lado direito.*

Se você está trabalhando na linha vertical central do corpo, a mão (–) esquerda é sempre posta acima de uma área relativamente mais positiva, e a mão direita (+) é colocada numa área relativamente mais negativa.

Novamente, quando trabalhando a linha vertical central do corpo, sua mão esquerda vai acima, e sua mão direita, abaixo.

Resultados

Ao aplicar uma polaridade, você obterá maiores resultados quando a pessoa estiver muitíssimo necessitada. Uma pessoa saudável e feliz que experimenta a polaridade provavelmente se sentirá muito relaxada e em paz, enquanto que alguém que esteja muito fora de equilíbrio se sentirá quase sempre completamente rejuvenescido.

O equilíbrio de energia com polaridade recarrega de força vital uma pessoa. Isto equilibra os campos de aura sutis eletromagnéticos à volta do corpo. Quando a aura está equilibrada, os nervos estão relaxados. E já que os nervos controlam os músculos, e os músculos seguram os ossos, não é de maneira alguma surpreendente ver ossos voltarem literalmente ao lugar depois da polaridade.

Aqui está um jeito de você comprovar isso por você mesmo. Quando seu amigo estiver deitado de costas, note a posição de cada pé antes da polaridade começar. Eles estão equilibrados ou ficam para fora em ângulos diferentes? Em muitos casos uma sessão de polaridade alinhará de maneira apropriada os ossos e os dois pés ficarão visivelmente mais uniformes. Porque a polaridade funciona em níveis tão profundos, não fique surpreso ao ver grandes mudanças na pessoa na qual você está trabalhando. Pessoas emocionalmente transtornadas podem começar a se soltar, perdoar e relaxar. Se uma pessoa tem vontade de chorar, ela deveria ser gentilmente encorajada. Outras pessoas podem mergulhar num estado muito profundo de sono consciente. Permita à pessoa descansar por quanto tempo ela queira. Se estiver frio, não deixe de cobrir a pessoa. Algumas vezes a pessoa se sente como se necessitasse de uma noite de descanso após a polaridade. Outras vezes, sente como se tivesse acabado de acordar depois de uma noite de sono. Algumas vezes pode sentir muito calor, ou tremer, pois o sangue vai direto na pele ou nos órgãos internos. Algumas vezes pessoas entram em estado de bênção ou êxtase. Qualquer coisa que aconteça, tenha certeza de que é exatamente isso que a pessoa está precisando naquele momento. A força vital irá somente onde ela é necessária para causar as transformações que são necessárias. Ela faz as pessoas se sentirem melhor.

A força vital não vê diferença entre dor emocional ou dor física. Ambas são simplesmente expressões de força vital bloqueada. Através dos anos, tenho observado a polaridade ajudar jovens e idosos sofrendo de

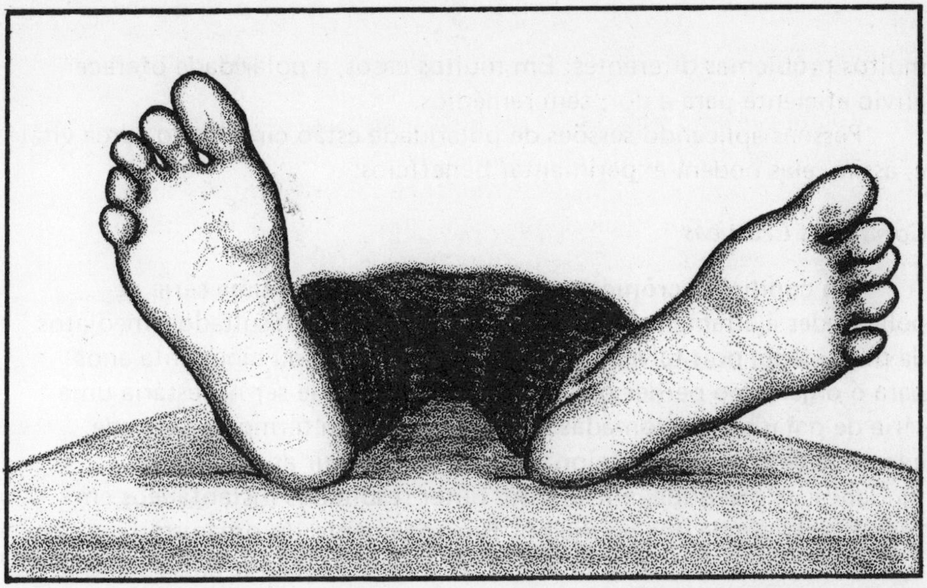

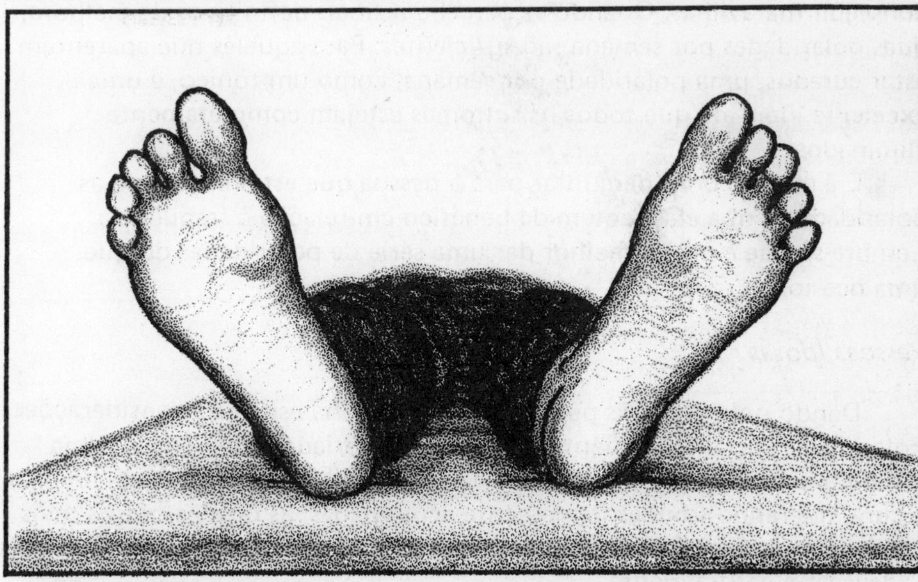

O ângulo dos pés sugere o posicionamento dos ossos dos quadris. As sessões de polaridade podem induzir a um tão profundo relaxamento que os ossos muitas vezes mudarão sua posição e alterarão o ângulo dos pés. O resultado é uma melhora na postura.

muitos problemas diferentes. Em muitos casos, a polaridade oferece alívio eficiente para a dor, sem remédios.

Pessoas aplicando sessões de polaridade estão circulando força vital e, assim, elas podem experimentar benefícios.

Condições Crônicas

Em condições crônicas ou em situações graves, uma série de polaridades é altamente recomendada. Não espere resultados imediatos da polaridade, pois talvez tenha levado dez, vinte ou cinqüenta anos para o organismo perder o equilíbrio. Assim, pode ser necessária uma série de polaridades, somadas a uma melhora em termos de atitude, exercícios e hábitos nutricionais, para fazer surgir as necessárias mudanças. Você pode, entretanto, obter resultados instantâneos em forma de alívio de dor ou melhor funcionamento do organismo.

Uma sessão de polaridade três ou quatro vezes por semana pode conseguir maravilhas. Quando se percebem sinais definitivos de melhora, duas polaridades por semana são suficientes. Para aqueles que aparentam estar curados, uma polaridade por semana, como um tônico, é uma excelente idéia até que todos os sintomas estejam completamente eliminados.

E é sempre bom perguntar para a pessoa que está recebendo as polaridades o que elas sentem de benéfico em relação à freqüência. Lembre-se que é muito melhor dar uma série de polaridades do que uma ocasional.

Pessoas Idosas

Dando polaridade às pessoas mais velhas, há especiais considerações. Polaridades curtas e freqüentes são mais apropriadas e benéficas. Uma polaridade forte, por si mesma, poderia precipitar um processo de limpeza e cura, liberando toxinas longamente acumuladas, as quais a pessoa mais velha pode não ter força vital suficiente para eliminar. É muito melhor ir devagar e naturalmente.

Junto com sessões freqüentes, isto é, três vezes por semana, uma dieta purificadora é ideal para idosos. Informações bem pesquisadas e claras sobre este assunto encontram-se em livros que eu recomendo ao leitor na página 131.

Crianças

Crianças adoram dar e receber polaridades. Damos o nome de "dar amor" como uma explicação às crianças, e o círculo de polaridade é chamado um "círculo de amor". Os jovens podem sentir instantaneamente a força vital. Eles geralmente são mais sensíveis e têm muito menos condicionamentos para bloquear a experiência. A polaridade é extremamente eficiente em crianças porque estão abertas para deixar o amor fluir através delas. Além do mais, não falta muito equilíbrio de energia nos seus pequeninos corpos.

O círculo de polaridade é, de muitas maneiras, ideal para crianças. É fácil de ensinar e proporciona às crianças uma oportunidade de amar e servir aos outros de uma maneira não ameaçadora, além de não causar dor e ser alegre. Depois de dar uma polaridade, certifique-se de que as crianças tenham lavado suas mãos em água fria. Os movimentos finais da sessão um-a-um também funcionam muito bem para as crianças. Alguns pequenos tolerarão movimentos com pressão suave. Então, deixe a experiência de polaridade ser agradável para elas, seja o que for que você faça.

Desde que a hora de ir para a cama é um freqüente problema para muitas crianças pequenas — e para seus pais —, o seguinte exemplo pode ser posto em uso. Um dia um amigo meu iniciou sua filha de três anos de idade na polaridade, quando a criança estava num estado bem calmo. Usando o movimento do ventre, a mãe de Sara chamou-o de "dar amor", e Sara gostou demais. Algumas noites mais tarde, quando sua filha estava de mau-humor, meu amigo perguntou-lhe: "Você gostaria que a mãezinha lhe desse um pouco de amor?" Quando tudo acabou, Sara estava dormindo.

Desde aquele tempo a hora de ir para a cama nunca mais foi um problema. Toda noite Sara insiste que sua mãe lhe "dê um pouquinho de amor" antes que vá dormir. Este movimento de polaridade simples e eficiente não somente ajuda Sara a ir para cama sem confusão, mas também é altamente benéfico para sua saúde num nível preventivo, pois alinha sua força vital todas as noites.

FICANDO MOLHADO

Não é preciso que você acredite que este sistema vá funcionar, a fim de experimentá-lo profundamente. Você não precisa acreditar no oceano para ficar molhado, no entanto você precisa pular nele.

SEÇÃO II

POLARIDADE UM-A-UM

Esta seção do livro descreverá como uma pessoa pode dar uma sessão completa de polaridade em outra pessoa. Mais tarde exploraremos como um grupo de seis pessoas, não usando pressão ou toque como técnicas de polaridade, podem efetuar grandes mudanças físicas no corpo. *Eu recomendo que você leia cuidadosamente toda a primeira* seção *deste livro antes de continuar.*

Tipos de Toque

A polaridade um-a-um usa três tipos de toque: massagem profunda, toque leve sem pressão e toque não-físico, quando as mãos são postas levemente longe do corpo.

A força vital flui num sistema circulatório sutil através do corpo. Quando há esgotamento por causa de preocupação ou medo, excesso de trabalho ou problemas pessoais, o fluxo de força vital tende a se tornar congestionado em vários lugares, deixando o resto do corpo sem energia suficiente para funcionar bem. Uma pressão profunda pode liberar força vital bloqueada. Depois que a energia estiver liberada e fluindo de maneira livre, as técnicas de toque leve e não-toque podem polarizar a energia, isto é, organizar e alinhar a força vital através dos seus caminhos corretos.

Atitudes

Aplicando uma polaridade, a melhor atitude é a relaxada e amorosa. Embora a força vital seja afetada por nossos pensamentos, não é essencial concentrar, meditar ou tentar de alguma maneira fazer um bom trabalho.

A energia flui por si mesma, fazendo o seu próprio trabalho. É útil que você se centre. Isto é, que você reúna sua atenção e que esteja alerta ao que você está fazendo. Se você se esforça muito para fazer um bom trabalho, não se sentirá relaxado e somente bloqueará o fluxo de força vital. A melhor maneira é simplesmente "estar" com a pessoa que está recebendo. Você pode gostar da pessoa, amar a pessoa ou simplesmente sentir-se bem por dentro. Com qualquer dessas atitudes a força vital fluirá livremente.

Não dê uma sessão de polaridade se você se sente negativo em relação à pessoa que a receberá, se você está atravessando um severo abalo emocional ou se você está doente. No entanto, estas são ótimas ocasiões para receber polaridade!

O equilíbrio de energia com polaridade não é uma cura pela fé e funciona muito bem para os céticos. Não acreditar na polaridade não alterará sua força vital de maneira significativa, contanto que você se sinta bem enquanto trabalha. A polaridade funciona de acordo com princípios universais da força vital e atração eletromagnética, não por causa de nossas opiniões.

Autoproteção

Ao se trabalhar com a energia sutil da força vital torna-se necessário que se tomem pequenas precauções para assegurar que você não se contamine com a energia estagnada de outra pessoa.

Primeiro, *saiba que não é você o curador.* Isto se torna evidente para mim quando eu estou usando uma técnica não-física como o balanço ou o balança-barriga. Às vezes minhas mãos se aquecem de repente, e então sinto um campo de energia a poucos centímetros delas, como um rio de energia vibrando entre mim e meu amigo. Não sei aonde ela está indo ou o que está fazendo. É a força vital que está curando, não eu como pessoa. Tudo o que faço é pôr as minhas mãos em posição e observar o que acontece. O amor dentro de nós, em forma de força vital, faz a cura. Então, uma atitude correta é "deixar acontecer" ou, se você preferir, "Tu farás". Simplesmente assumo a posição de um observador. Até mesmo um observador cético terá sucesso. Pensar "Eu sou um curador" evidencia uma vibração carregada de "Eu", "Eu", "Eu", que pode atrair a energia acumulada da pessoa que está recebendo a polaridade para a pessoa que a está dando.

Segundo, *sacuda suas mãos e lave-as em água fria.* Quando você acaba de dar uma polaridade, é necessário sacudir suas mãos algumas vezes com fortes impulsos, como se você estivesse jogando água. Em seguida, lave suas mãos em água fria. Estes dois passos removem e atraem para a terra a energia estática, energia não direcionada que possa estar em suas mãos. A energia estática pode ser sentida como uma sensação de peso, volume ou inchaço.

Terceiro, *não dê uma sessão de polaridade se você está muito cansado ou sob o efeito de alguma droga.* Estar sob o efeito de uma droga é uma condição na qual você não se sente "presente", sentindo o seu corpo, com o sentimento de estar completamente aqui. Sob estas condições você será mais suscetível às energias do seu amigo, transferência essa que é indesejável e que deve ser evitada.

Quarto, *tenha um senso de confiança no processo.* Não se preocupe se alguma coisa diferente acontece. Uma pessoa pode se sentir pior antes de se sentir melhor, ela pode dormir profundamente de repente, pode sentir muito frio, ou ter sensações que nunca sentiu antes por todo o corpo. Saiba que a força vital está ligada com a inteligência do corpo para fazer o que for preciso. Em raras ocasiões, durante aplicações de sessões de polaridade, pode até acontecer de você sentir os sintomas da outra pessoa no seu próprio corpo. Não fique com medo! Simplesmente observe o que está acontecendo e a experiência passará através de você dentro de minutos.

Efeito Magnético

Normalmente você se sente muito bem depois de dar uma sessão de polaridade. Há ocasiões, entretanto, em que você poderá se sentir cansado. Isto quer dizer que você não estava relaxado durante a sessão. Mas a força vital que passou para a outra pessoa será de grande ajuda. Portanto, relaxe, tenha um descanso e dê algumas respiradas. Alguns exercícios vigorosos e um chuveiro frio podem ser úteis, e a sua força voltará logo.

Atmosfera

Quando aplicar uma polaridade, cuide que o aposento esteja quente, silencioso e confortável, com espaço suficiente para que se possa ter movimentos. Se possível, evite que ocorram fatos que provoquem distrações. Desligue o telefone, retire animais e ponha um aviso de ''não perturbe'' na porta, etc. Como entretenimento, ponha uma música suave.

Vestimentas

Use roupas largas e confortáveis.

A pessoa que recebe a polaridade deveria tirar seus sapatos e meias. Isto permite um contato direto com a energia pelos pés. Tirar os sapatos também é confortável para quem aplica a polaridade.

É aconselhável remover todo metal da roupa e do corpo quando você dá ou recebe uma polaridade, pois o metal parece interferir levemente no fluxo de força vital. Tire jóias, cintos com fivelas, chaves, moedas, relógios e quaisquer outros objetos de metal antes de começar.

Mesas de Trabalho

Aplicar uma polaridade em uma mesa de massagem constitui o meio mais confortável. Você pode fazer todos os movimentos e posições estando relaxado e à vontade. Uma mesa provisória pode ser tão simples quanto uma tábua com uma espuma sobre ela, colocada sobre dois cavaletes. Mesas de massagens comerciais são excelentes e podem ser facilmente compradas em lojas que vendem artigos hospitalares ou coisas usadas.

Quando escolher uma mesa, certifique-se de que ela satisfaz suas necessidades. Alguns requisitos que devem ser observados são uma boa altura (assim ela se torna confortável para você e outros podem usá-la), largura satisfatória (para que um homem grande possa deitar de costas sem que seus braços caiam de lado), firmeza suficiente e de pouco peso, para que possa ser portátil.

Começando uma Polaridade

Antes de começar uma sessão, explique para seu amigo (ou amiga) que tudo que ele (ou ela) precisa é dar umas respiradas fundas, relaxar e gostar da experiência. Seu amigo pode discutir o que está experimentando, rir, chorar ou ficar em silêncio. Quanto mais você puder ajudar seu amigo a ficar relaxado, mais facilmente a força vital fluirá através do corpo. Faça o que você sentir apropriado no momento.

Respiração

Você pode aumentar muito o poder da polaridade se encorajar a pessoa que a recebe a fazer umas respirações profundas durante a sessão. A força vital está no ar, e ela pode ajudar a recarregar o corpo. A respiração profunda também capacita a pessoa a relaxar e aliviar a tensão emocional. *Você descobrirá que quando seu amigo está respirando profundamente você pode experimentar mais intensamente o formigamento de força vital nos movimentos não-físicos.* O poder da

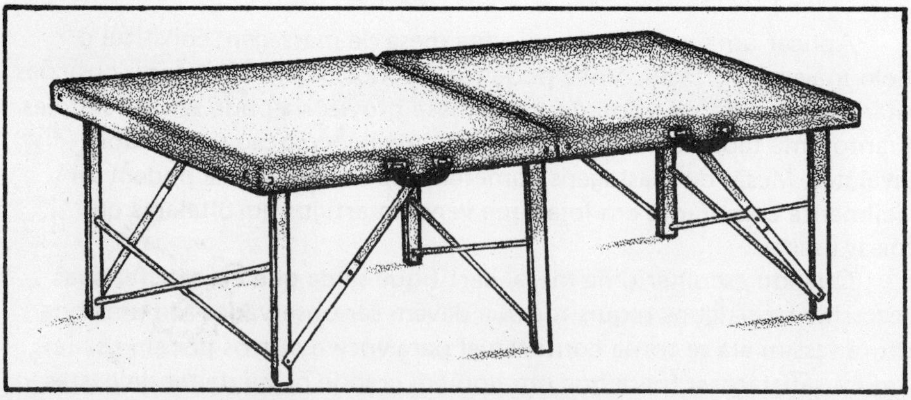

Uma boa mesa de massagem é um excelente investimento se você planeja fazer muitas sessões de polaridade.

polaridade pode também ser aumentado pelo seu próprio modo de respirar. Tente você mesmo respirar profundamente enquanto aplica uma polaridade. Não é necessário que a respiração seja sincronizada com a da outra pessoa.

Enquanto você trabalha, preste atenção para ver se o seu amigo ainda respira profundamente. A respiração deveria começar abaixo do umbigo e caminhar para cima, até os ombros. A inalação deve ser feita puxando o ar para dentro, enquanto que a expiração deveria ser uma liberação da respiração totalmente relaxada e sem esforço. Mas estará tudo bem se o seu amigo respirar com a boca ou com o nariz durante a polaridade.

Aprendendo as Posições

Há uma série de posições na sessão geral de polaridade um-a-um. Elas serão mais eficientes se você usá-las pela ordem dada.

Essas posições são descritas em três lições designadas para ajudar você, dividindo a informação em partes fáceis de aprender. Recomendo que cada lição seja sentida e praticada antes que se passe para a próxima. Desta maneira, você será capaz de aprender rapidamente toda a sessão.

Antes de começar, leia o título do movimento, sua descrição e o comentário. Ao praticar, você pode pular a sessão de comentário. Mais tarde você saberá o que é o movimento só pelo fato de ler o título. Com prática continuada você vai lembrar a sessão toda de polaridade sem olhar no livro. Tome seu tempo e tenha paciência. O tempo e o esforço despendidos serão bem recompensados. A sessão de polaridade um-a-um oferece uma oportunidade perfeita para se amar uma pessoa de uma maneira a lhe proporcionar ajuda, e sem a agredir.

LIÇÃO UM

Posição 1 – O Embalo

Friccione suas mãos vigorosamente uma na outra e balance a cabeça sem usar pressão. Torna-se melhor *quase sem tocar a pessoa. Conserve suas mãos relaxadas.* Os dedos indicador e médio ficam embaixo, nos lados do pescoço, enquanto que os polegares ficam perto das orelhas.

Comentário: O embalo é uma posição muito confortável. Pode ser de enorme ajuda no alívio de tensões, dores de cabeça e nervosismo.

Tenha a certeza de que o seu corpo está confortável nesta e em todas as outras posições da sessão de polaridade. Não se esforce se suas costas começarem a ficar doloridas. Faça um descanso, volte relaxado e continue.

Conserve esta posição até que você sinta uma forte troca de energia em suas mãos. Não há uma regra quanto à permanência em qualquer uma dessas posições. É melhor que você confie em suas intuições e sentimentos. Em alguns casos, o embalo pode ser feito por meia hora ou mais. Mais freqüentemente, tem a duração de alguns minutos.

Faça com que seu amigo respire profundamente. É mais fácil experimentar a força vital quando você não está tocando seu amigo.

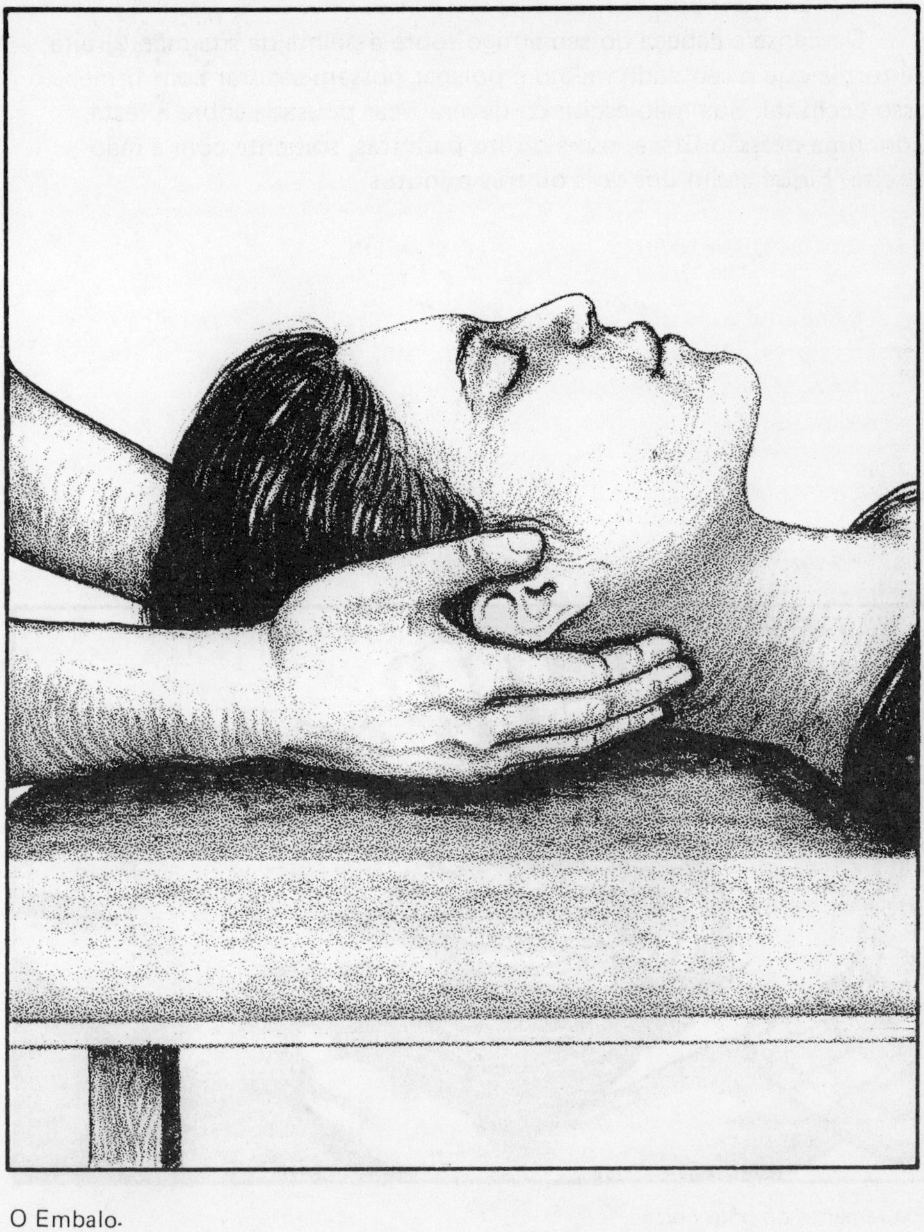

O Embalo.

Posição 2 – Estiramento do Pólo Norte

Descanse a cabeça do seu amigo sobre a palma da sua mão direita, de forma que o seu dedo médio e polegar possam segurar com firmeza o osso occipital. Sua mão esquerda deverá ficar pousada sobre a testa. Com uma pressão firme, puxe direto para trás, somente com a mão direita. Fique assim uns dois ou três minutos.

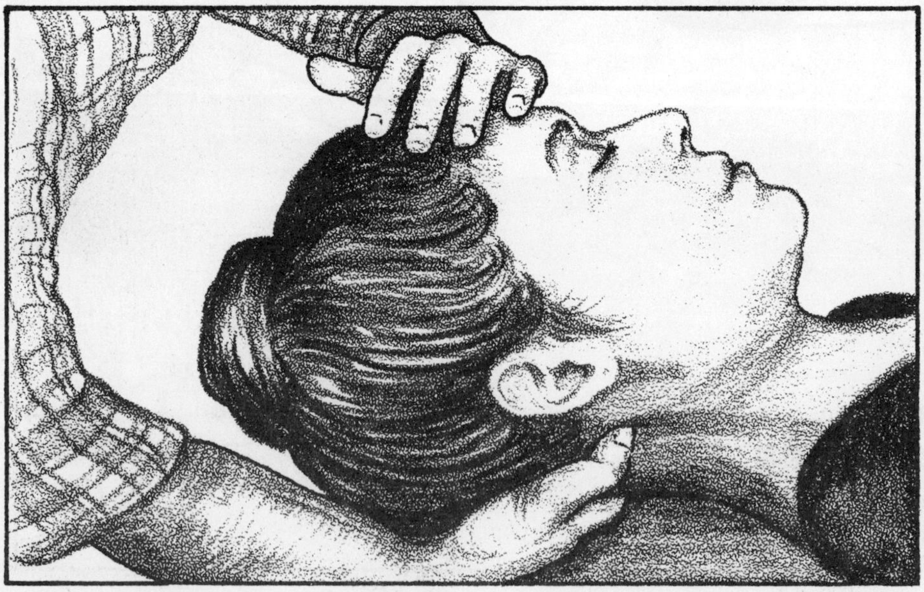

Estiramento do pólo norte.

Comentário: Faça com que seu amigo relaxe e deixe você fazer todo o trabalho. Se você tatear os lados da parte traseira do seu pescoço, encontrará a base do osso occipital. Se pressionar sob o osso, provavelmente sentirá um pouco mole. Uma vez que você encontrou este lugar em você, será fácil encontrá-lo em outra pessoa. Quando você sentir que o polegar e o dedo médio da sua mão direita têm um sólido manejo na base do osso occipital, pode saber que está no lugar certo.

Use tanta pressão quanto for possível, na medida do conforto de seu amigo.

Se sua mão direita ficar cansada, passe para o próximo movimento.

Encoraje o seu amigo a respirar profundamente, se assim ele não estiver respirando.

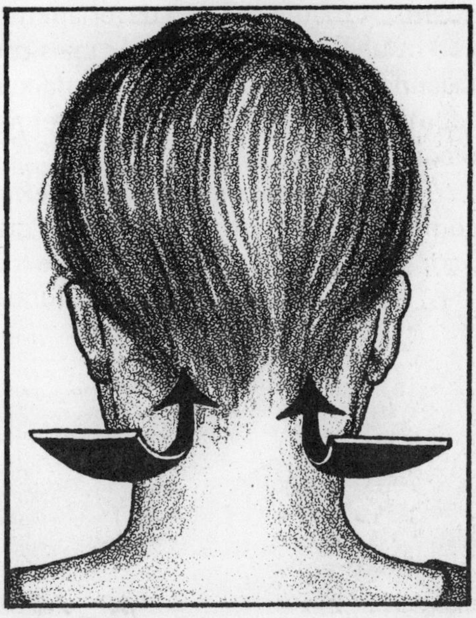

Base do osso occipital.

Posição 3 – Movimento do Ventre

Friccione suas mãos vigorosamente e pelo lado direito do seu amigo, ponha sua mão esquerda na testa dele e sua mão direita na região sob o umbigo. Agora balance a pessoa ritmicamente com a mão direita. Balance por alguns minutos e então pare e deixe suas mãos no lugar. Conserve suas mãos aí todo o tempo que você estiver sentindo aquele formigamento da troca de força vital (pelo menos um minuto). Agora, erga a sua mão a uns três ou cinco centímetros do corpo e sinta novamente o formigamento de força vital em suas mãos.

Comentário: Preste atenção para que o movimento seja delicado e brando, como o balançar uma criança. Durante o balanço o dorso se move de três a cinco centímetros. Siga o *momentum* do corpo para conservar uma velocidade delicada e suave. Preste atenção para que sua mão direita não escorregue pela superfície enquanto o corpo permanece quieto. A mão e o dorso deveriam mover-se juntos. Se o seu amigo não balança, tente pressionar mais profundamente com a mão direita. Quando você parar o balanço e deixar sua mão no lugar, poderá acontecer que seu amigo sinta energia formigando e correndo por todo o corpo.

Este movimento é simples e extremamente poderoso. É recomendado como um tratamento se você tem apenas alguns minutos. É maravilhoso para as crianças antes de irem para a cama.

Novamente, respiração profunda e branda é muito importante.

Sugestão: Pare aqui e tente o que você acabou de ler.

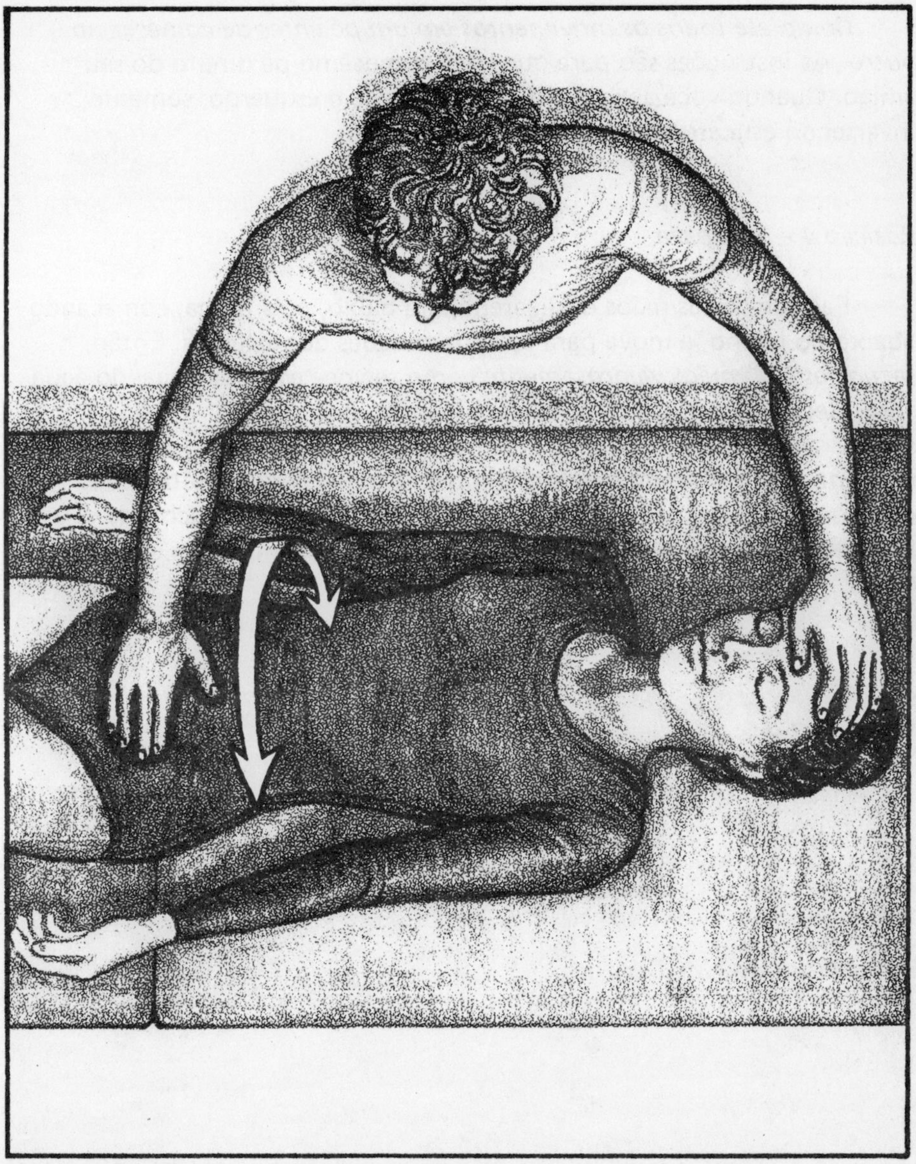

O balanço do ventre.

Os Pés

Complete todos os movimentos em um pé antes de começar no outro. As instruções são para que você comece no pé direito do seu amigo. Quando você acabar o direito, comece o esquerdo, somente invertendo as instruções.

Posição 4 — Limpeza

Faça ambas as mãos deslizarem para baixo, pela perna, começando abaixo do joelho, e mova para as extremidades dos artelhos. Então, *sacuda as suas mãos vigorosamente* como se você estivesse jogando água fora. Repita este movimento algumas vezes.

Comentário: Este movimento puxa para fora a energia estática, não direcionada. Suas mãos podem sentir-se pesadas, densas, inchadas. É a hora de mandar embora esta energia num forte arremesso.

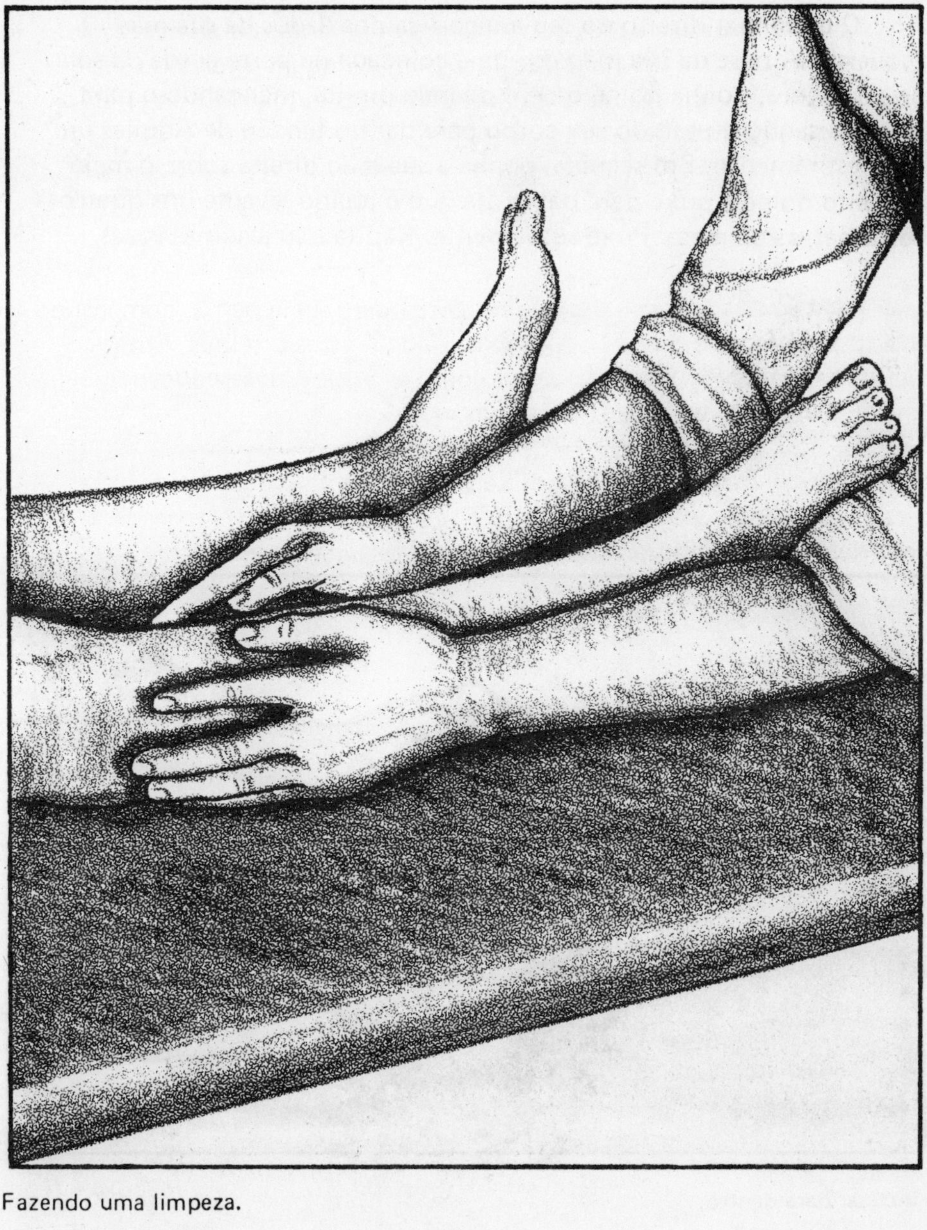

Fazendo uma limpeza.

Posição 5 — Inclinar e Puxar

O calcanhar direito do seu amigo fica nos dedos da sua mão esquerda. A base da sua mão direita é colocada na parte gorda da sola do pé. Agora, ponha no pé o peso da mão direita, inclinando-o para frente, usando o peso do seu corpo para dar no tendão de Aquiles um bom estiramento. Em seguida, ponha a sua mão direita sobre o meio do peito do pé e puxe para baixo até que o joelho levante uns quatro centímetros da mesa. Puxe suavemente. Repita isso algumas vezes.

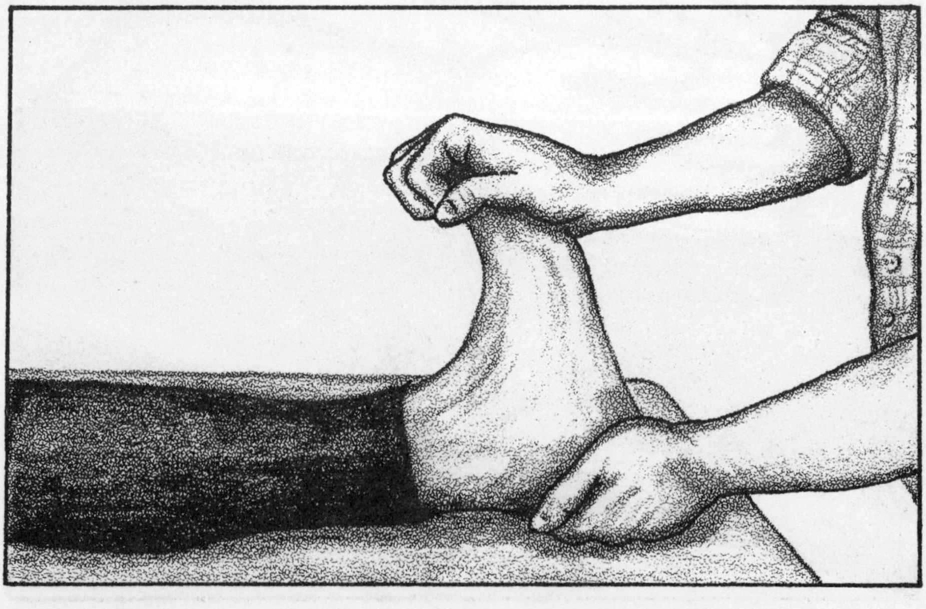

Inclinar para dentro.

Comentário: Você pode usar bastante força no movimento para frente. No entanto, no movimento para baixo seja bem suave. Verifique com seu amigo como ele se sente.

Puxar para baixo.

Posição 6 – Pressão na Parte Interior do Calcanhar

Segure o calcanhar do pé direito com os dedos da mão direita. Com o polegar direito, encontre um ponto sensível na parte interna do calcanhar. *Pressione de maneira firme, delicada e ininterrupta.* Não massageie este ponto. Sua mão esquerda deve segurar levemente o pé em posição vertical.

Comentário: Pontos que são sensíveis e doloridos (não por lesão) nos pés ou em outras partes do corpo refletem bloqueios no fluxo de força vital através dos vários órgãos e sistemas. Aplicar pressão nesses pontos sensíveis estimulará o fluxo de energia através dos seus órgãos correspondentes. (Informações mais detalhadas de como trabalhar com pontos sensíveis e suas áreas correspondentes encontram-se na sessão de movimentos específicos.)

Tenha o cuidado de manter as unhas do polegar curtas.

Talvez seja necessária uma busca sistemática para que se localize corretamente o ponto sensível. (Precaução: Veja página 91.) Muitas pessoas têm um ou mais pontos sensíveis. Por isso, investigue a área e trabalhe cada um deles. Você pode ter que empregar uma pressão profunda para encontrar pontos doloridos. Quando seu amigo reconhece um ponto que dói, pressione somente com a intensidade que ele possa tolerar. Encoraje seu amigo a relaxar e respirar profundamente, deixando que as sensações do pé vão pelo resto do corpo. À medida que a dor diminui você pode, sem medo, aumentar a pressão dentro de poucos minutos.

Se você sente pulsar o seu polegar, mova para outro ponto dolorido. Não ponha pressão direta sobre uma veia.

Este movimento é para equilibrar a área pélvica baixa no centro do corpo, e é bom especialmente para mulheres com cólicas menstruais.

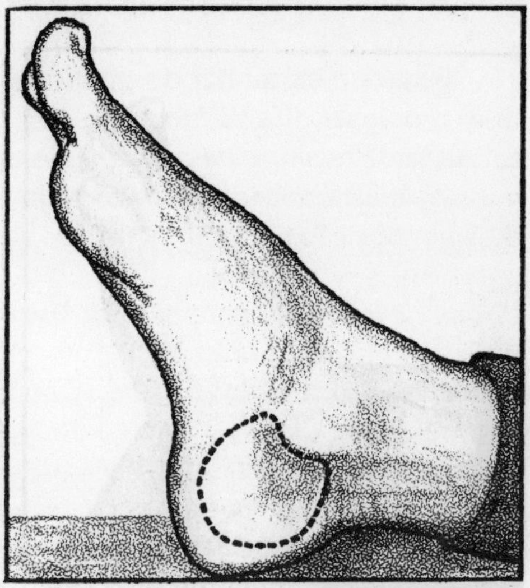

Muitos pontos doloridos serão encontrados ao mesmo tempo nesta porção do calcanhar.

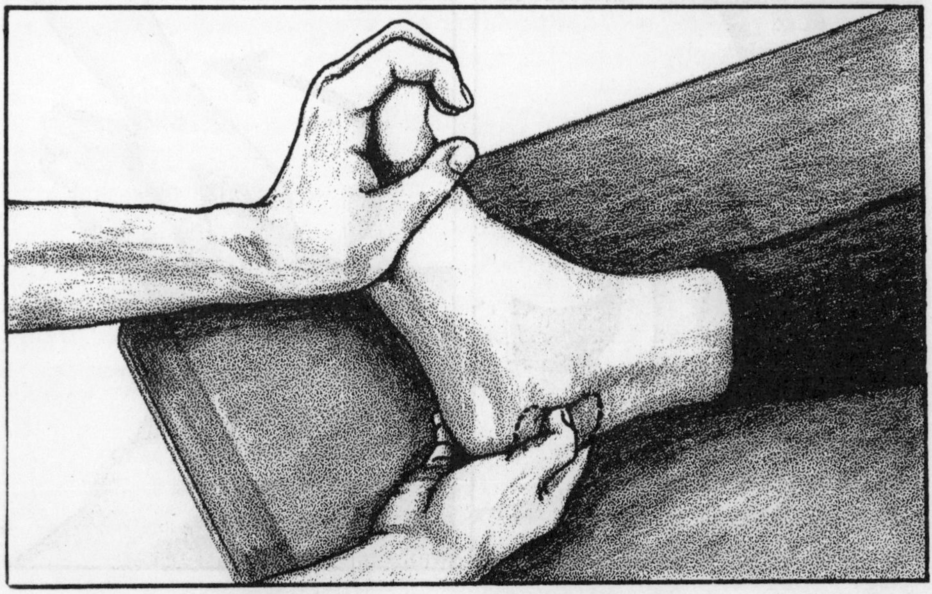

Pressão na parte interna do calcanhar.

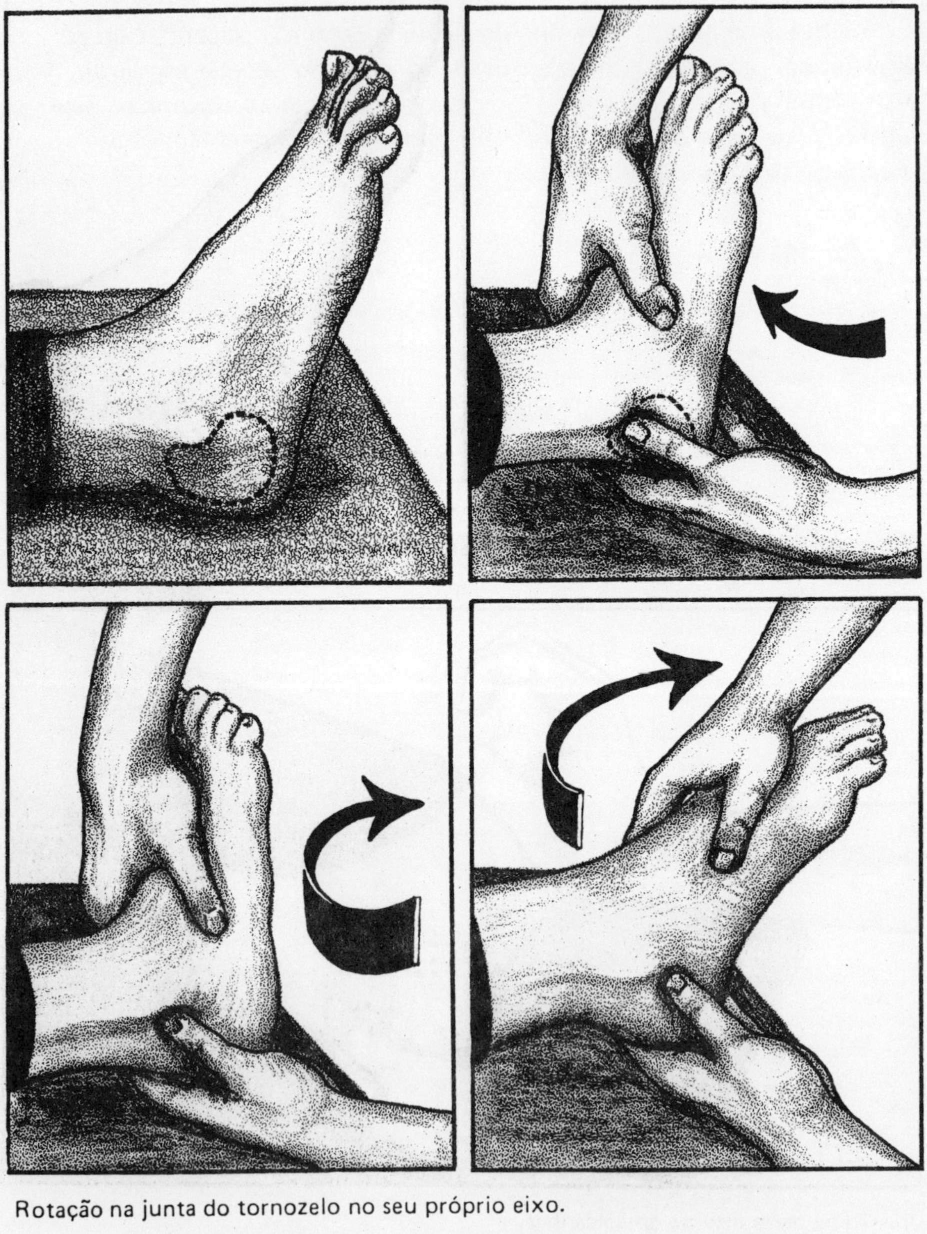

Rotação na junta do tornozelo no seu próprio eixo.

Posição 7 – Rotação do Calcanhar para o Lado de Fora

Mova o pé direito num ângulo de 45°. Segure o calcanhar do pé direito com os dedos da mão esquerda. Com o seu polegar esquerdo, procure um ponto dolorido no lado de fora da área do calcanhar. Seja sensível, *faça uma pressão firme, não massageie.* Com a mão direita segure as pontas dos pés e faça rotação.

Comentário: Tenha o mesmo cuidado que você teve no último movimento com os pontos delicados. Trabalhe os pontos delicados tantas vezes quantas você encontrar no lado de fora do calcanhar.

Mova o seu corpo para uma posição mais confortável, se você não conseguir fazer a rotação no pé.

Este movimento também tem influência sobre as áreas pélvicas baixas, mais na direção dos lados do corpo, do que a Posição 6.

Posição 8 — Estiramento do Dedo do Pé

Comece pelo dedo menor. A base deste dedo descansa sobre o dedo indicador da mão direita. O polegar é colocado levemente abaixo de onde o dedo se liga com o pé. Sua mão esquerda é colocada sobre a direita como reforço. Puxe direto para trás, enquanto levanta e balança o pé ritmicamente algumas vezes. Os dedos podem ou não estalar. Faça isso em cada dedo. Seja suave.*

***Nota:** Não puxe os dedos se a pessoa sofrer de artrite ou se tiver problemas nas costas.

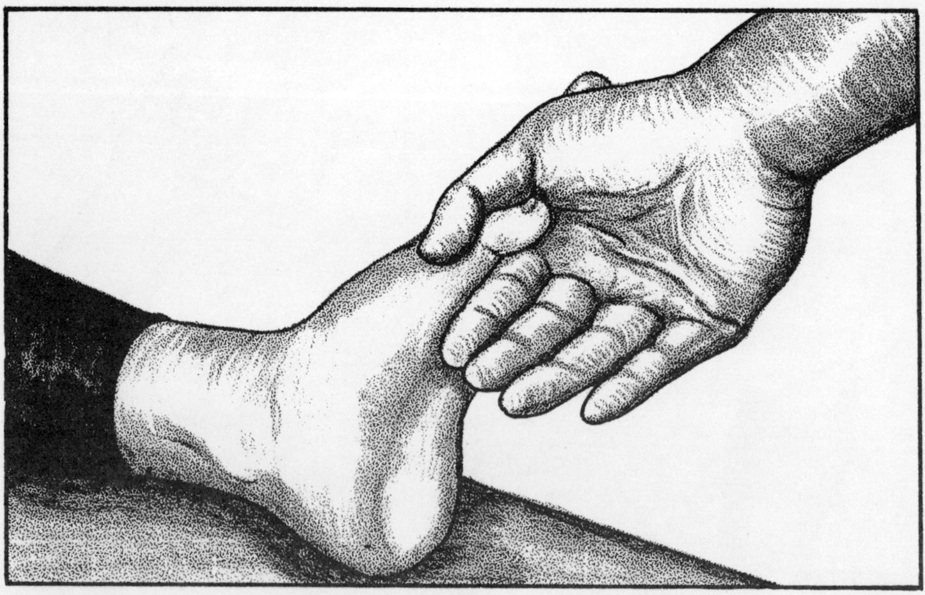

Posições da mão para puxar o dedinho.

Comentário: Segure cada dedo suficientemente firme para que ele não escorregue dos seus dedos. Se ele estiver suado, você pode usar uma meia sobre os dedos e então puxá-los.

Não se preocupe se os dedos não estalarem. É o puxão que é importante. Vá com cuidado no dedão.

Enquanto você balança o pé, ondas de energia vão através do corpo. É como sacudir um esguicho de jardim. Você sacode uma ponta, e uma onda vai pela borracha até a outra extremidade. Se este movimento for feito apropriadamente, não será doloroso, e você perceberá a cabeça do seu amigo mover-se com a sacudida.

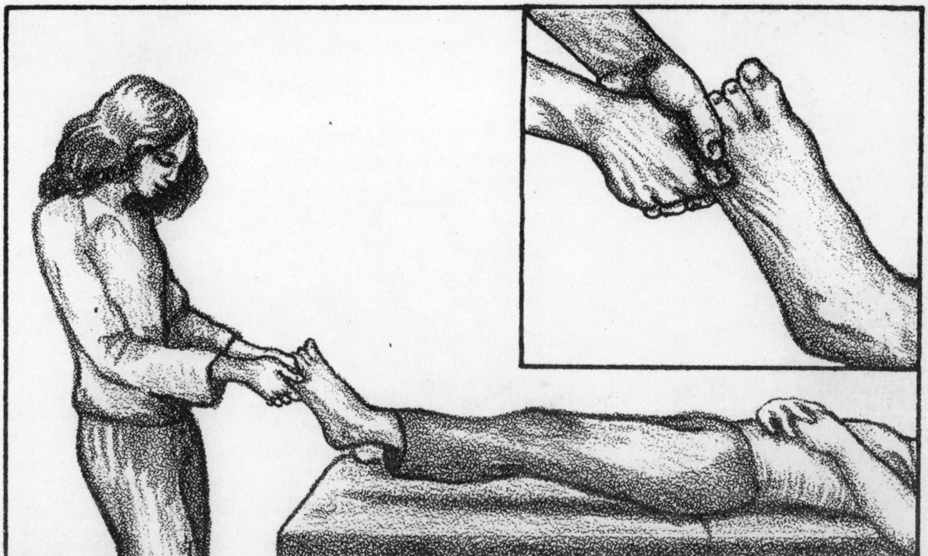

Puxar o dedo.

Posição 9 – Fricção com os Nós dos Dedos

Feche a mão direita e massageie profundamente toda a sola do pé direito com os nós dos dedos da sua mão direita. Trabalhe um tempo em qualquer ponto delicado que você descubra.

Comentário: Diga ao seu amigo que relaxe enquanto você aplica pressão nos pontos sensíveis. De novo, ponha tanta pressão quanto a pessoa possa sentir agradável.

Preste atenção na localização dos pontos sensíveis no pé, para usar em movimentos específicos mais tarde.

Sugestão: Pratique a *LIÇÃO UM* antes de continuar.

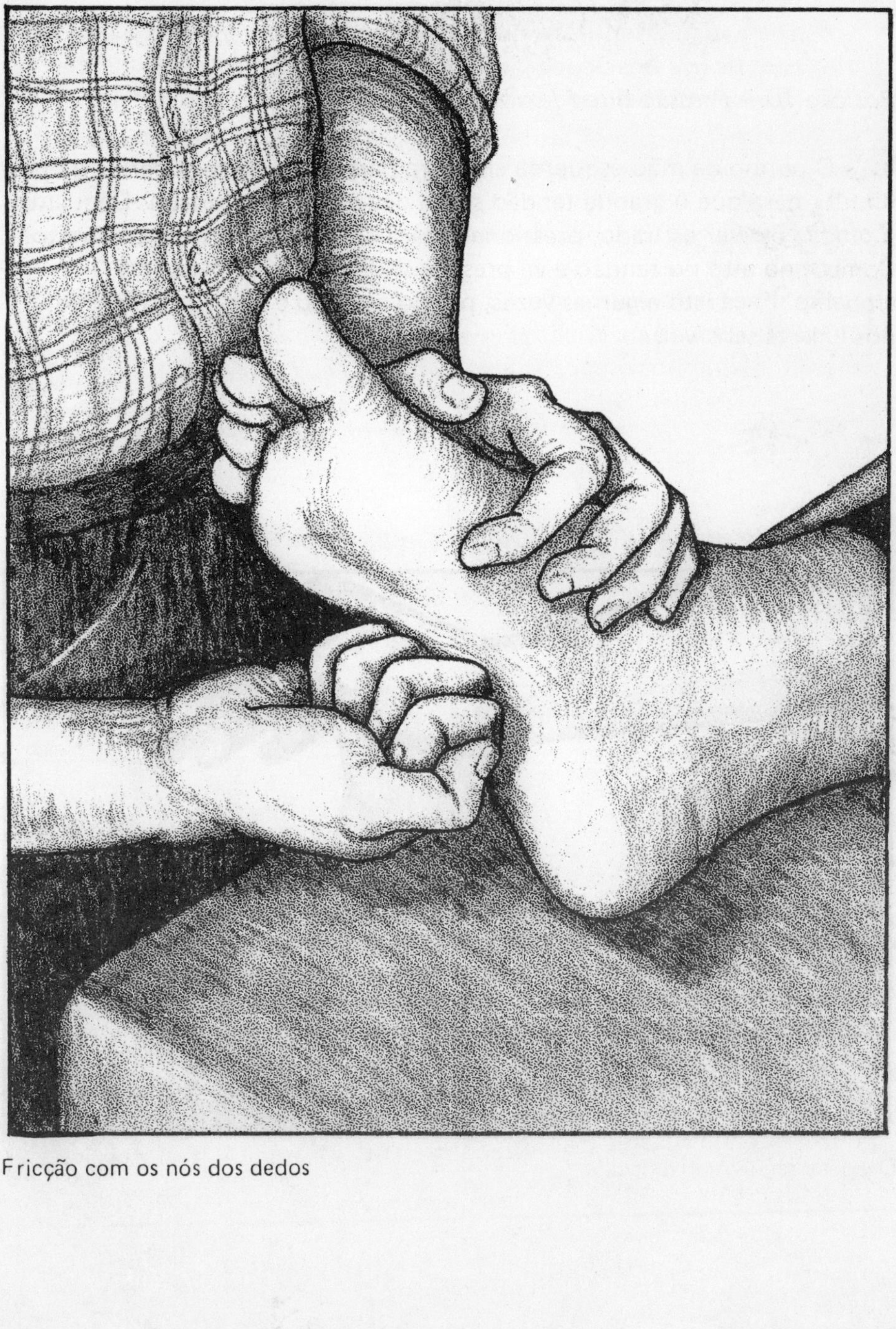

Fricção com os nós dos dedos

LIÇÃO DOIS

Posição 10 — Pressão que Flexiona o Tendão

O punho da mão esquerda empurra para trás a parte superior do pé direito, para que o grande tendão sob o dedão seja flexionado. Enquanto o tendão estiver estirado, pressione-o para dentro com o polegar direito. Comece no alto do tendão e vá pressionando profundamente até embaixo. Faça isto algumas vezes, pondo atenção e pressão especiais nos lugares sensíveis.

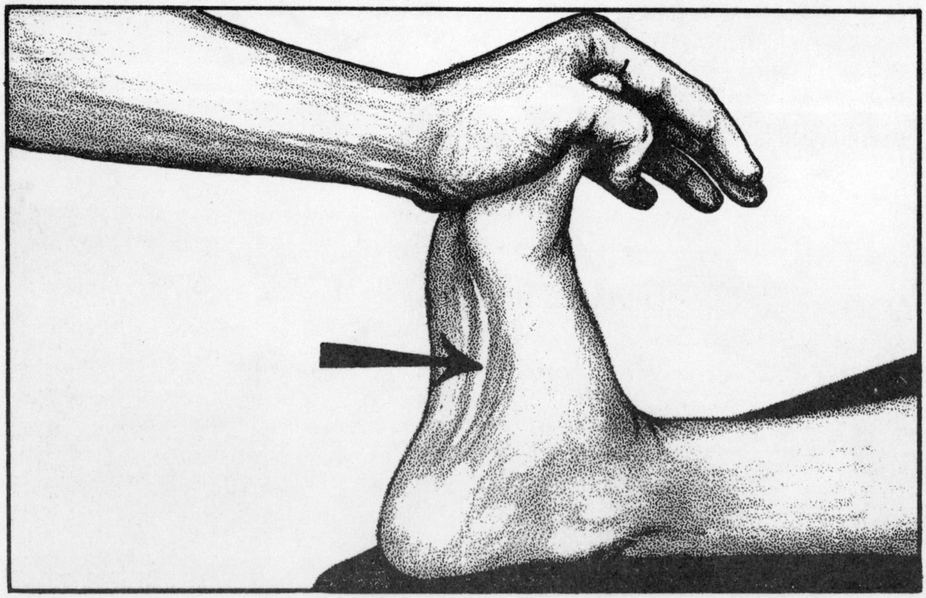

O grande tendão sob o dedão.

Comentário: Neste movimento os dedos não são pressionados para trás; somente a parte gorda do pé vai para trás a fim de que o tendão seja estirado.

Uma série de pressões rápidas no tendão não serão tão doloridas quanto movimentos muito vagarosos.

Se você colocar os dedos da sua mão direita sobre a parte gorda do pé, seu polegar terá mais força de alavanca e poder por trás dele. Se o seu polegar ficar cansado ou se você quiser pressionar profundamente, com bastante cuidado feche a mão e use a dobra dos dedos nos pontos sensíveis.

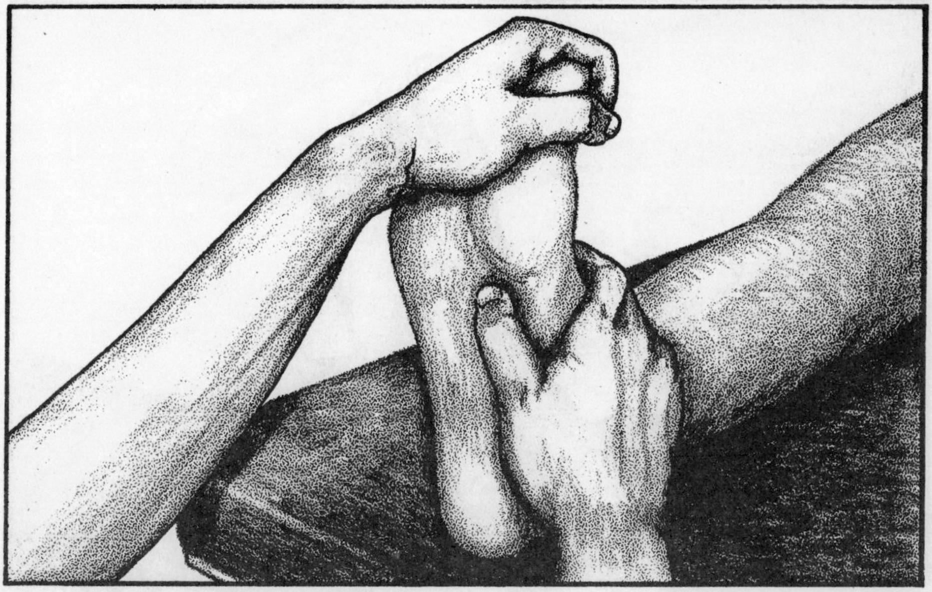

Pressionando o tendão flexionado.

Posição 11 — Pressão no Cubóide, Rotação do Calcanhar

Coloque-se no ângulo de 45 graus em relação ao pé. No meio do pé, entre o calcanhar e os dedos, do lado de fora do pé, você encontrará um pequeno osso. Este osso é o cubóide. Ponha seus polegares sob os dois lados desse osso. O resto dos seus dedos devem envolver o peito do pé. Pressione com seus polegares enquanto você faz rotação no calcanhar.

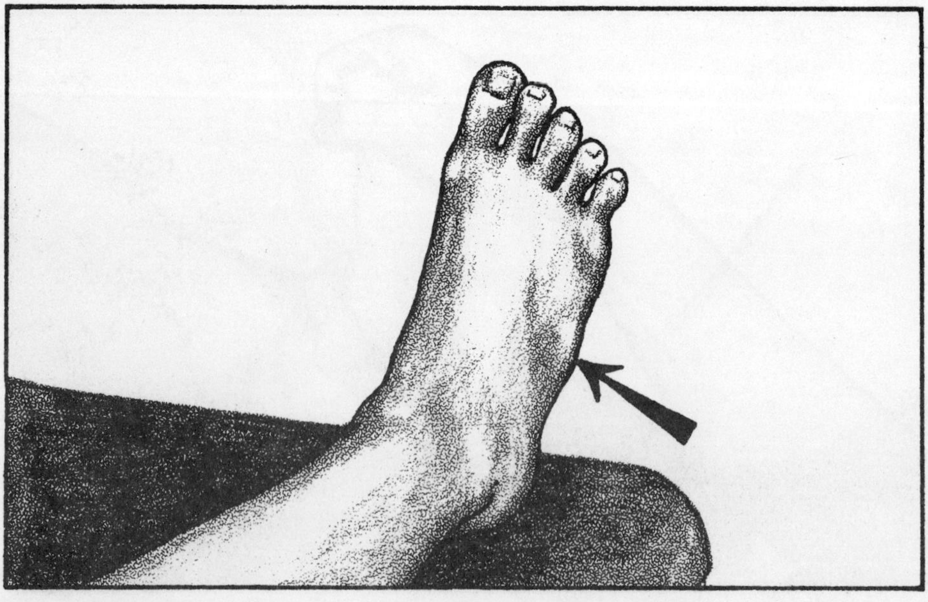

O osso cubóide.

Comentário: Endireite a sua posição para que você fique confortável enquanto faz a rotação do calcanhar.

O trabalho nos pés pretende basicamente liberar energia bloqueada. Como estamos somente trabalhando no pólo sul do corpo, não nos preocuparemos aqui com polarização da força vital. *Não tem importância que mão você use, exceto para o seu próprio conforto. Complete todos os movimentos no pé direito da pessoa, e depois todos os movimentos no pé esquerdo.* Se você conhece reflexologia, ou qualquer outra massagem para o pé, seria uma hora ideal para incluí-la.

Sugestão: Pare aqui e tente o que você acabou de ler.

Pressionando o cubóide enquanto se faz a rotação do tornozelo.

Posição 12 – Pressão nos Lados Direito e Esquerdo do Occipital

Vire a cabeça da pessoa para a esquerda, inclinada num ângulo de 45 graus. Coloque a sua mão esquerda de tal maneira que ela afirme a cabeça nessa posição, sobre a testa. O dedo médio da mão direita pressiona a base do lado direito do osso occipital. Mantenha a pressão por alguns minutos, e então vire a cabeça para a mesma posição no outro lado, com as mãos inversas.

Dedo médio na base do osso occipital a aproximadamente três centímetros da orelha.

Comentário: Fazendo a pressão, seu dedo médio deveria sentir a base do osso occipital. A mão que está sobre a testa não deve fazer pressão. Para maior intensidade no dedo médio, use a posição da mão que está na ilustração.

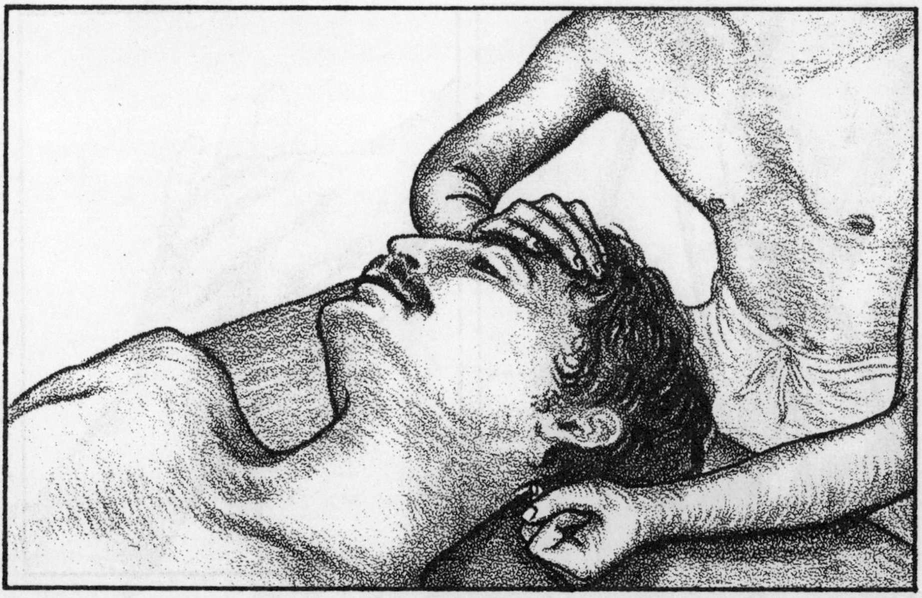

Pressão do occipital — vista completa.

Posição 13 — Estímulo do Antebraço e do Tecido entre o Polegar e Indicador

Estando ao lado direito do seu amigo, tome sua mão direita e aperte o tecido entre o polegar e o indicador. Use o polegar e o indicador da sua mão direita e procure aí um ponto sensível. Com a sua mão esquerda, use pressão para encontrar um ponto dolorido bem embaixo do cotovelo, no lado de fora do braço. Alternativamente, estimule as áreas doloridas na mão e no antebraço.

Comentário: Para encontrar o ponto dolorido no antebraço, olhe mais ou menos três centímetros abaixo da prega no cotovelo, e três centímetros do lado de fora do braço.

Será mais confortável para o seu amigo se você colocar os dedos da mão esquerda sob o cotovelo para apoiá-lo enquanto você estimula o antebraço.

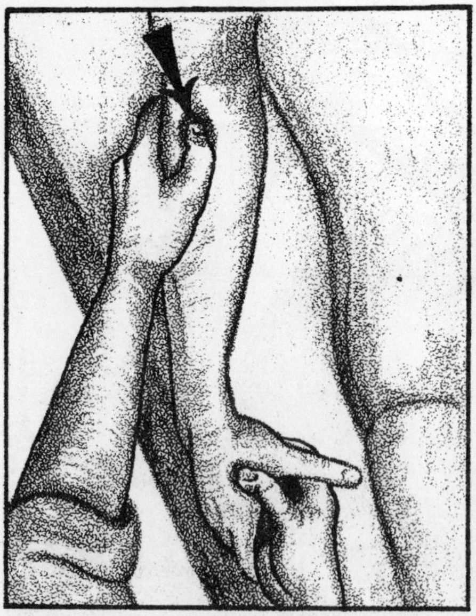

Pressão na região carnosa entre o polegar e o indicador — vista de baixo.

Pressão na região carnosa entre o polegar e o indicador — vista de cima.

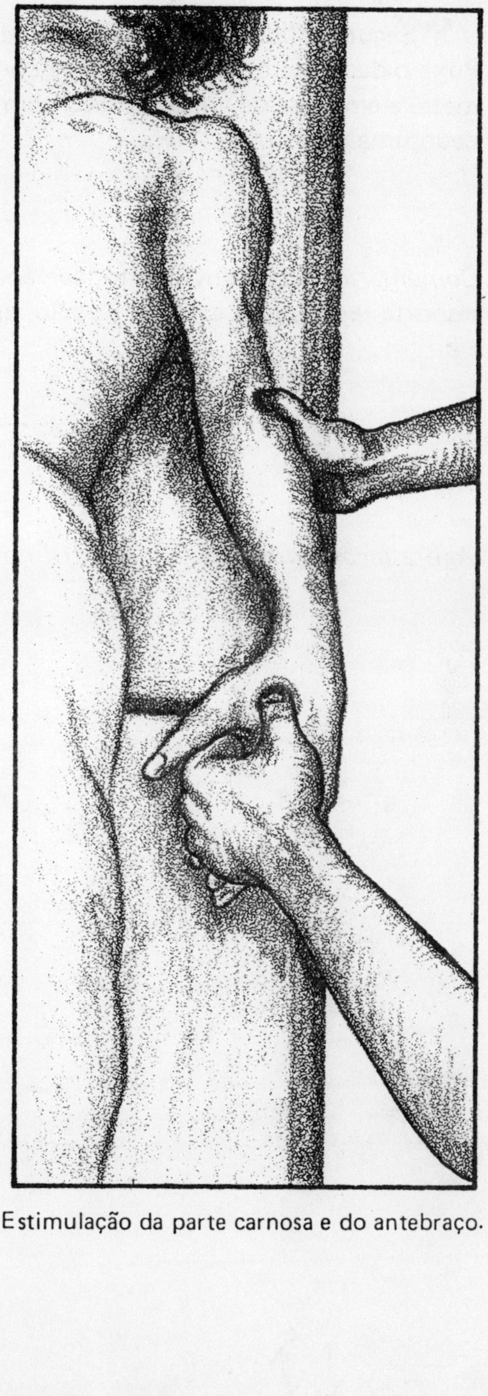

Estimulação da parte carnosa e do antebraço.

Posição 14 – Estiramento do Dedo

Segure solidamente a base de cada dedo com sua mão direita. Puxe o dedo até que o braço fique completamente esticado, fora da mesa, e empurre de volta o braço com a mão esquerda. Puxe cada dedo uma vez.

Comentário: Este movimento leva apenas alguns segundos. Não se importe se os dedos estalam ou não; apenas dê-lhes um bom puxão.

Agora faça as posições 12, 13 e 14 no lado esquerdo do seu amigo.

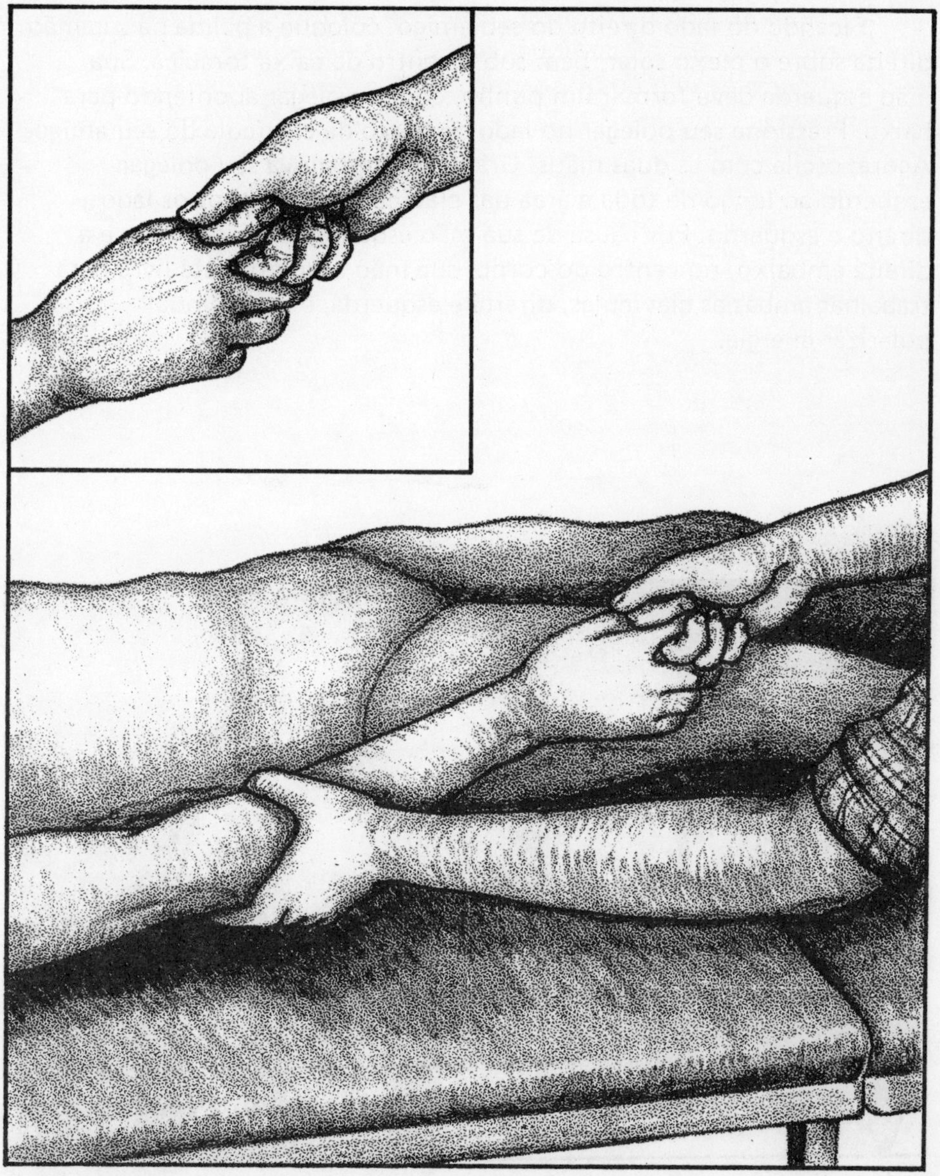

Puxar o dedo.

Posição 15 — Movimento no Plexo Solar e Clavícula

Ficando do lado direito do seu amigo, coloque a palma da sua mão direita sobre o plexo solar, bem sob o centro da caixa torácica. Sua mão esquerda deve formar um punho, com o polegar apontando para baixo. Pressione seu polegar no lado de baixo da clavícula do seu amigo. Agora, oscile com as duas mãos. Gradualmente mova seu polegar esquerdo ao longo de toda a área das clavículas, em ambos os lados, direito e esquerdo. Por causa da sua mão esquerda estar em cima e a direita embaixo, no centro do corpo, sua mão esquerda está livre para trabalhar ambas as clavículas, direita e esquerda, e pode ainda polarizar energia.

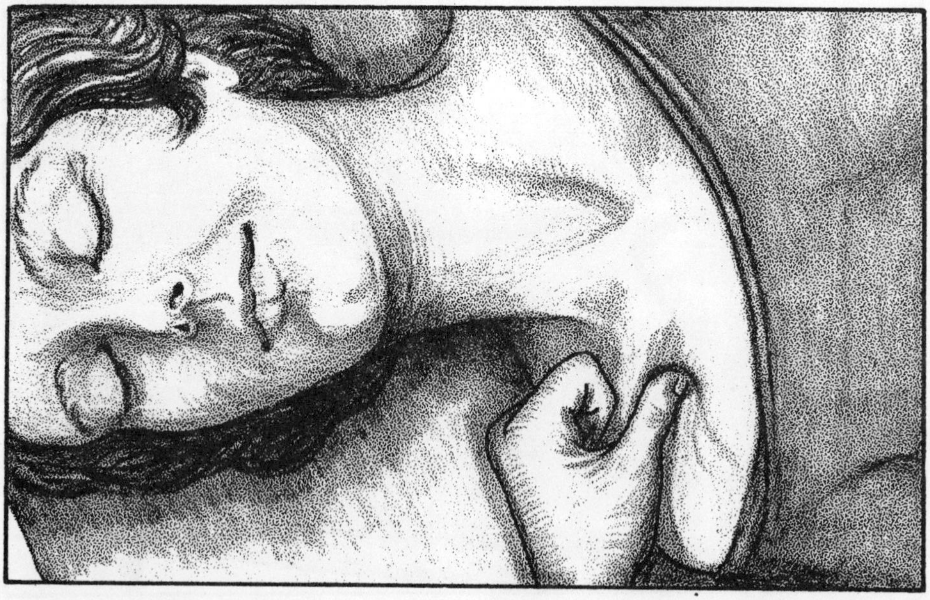

Saliência da clavícula.

Comentário: A maior parte da pressão e da oscilação é feita com a mão esquerda.

À medida que você balança, afirme o seu dedo esquerdo para que ele não escorregue sobre a clavícula.

Quando você encontrar lugares doloridos sob as clavículas, trabalhe-os por um pouco mais de tempo. Depois de você ter trabalhado um lugar muito dolorido aí, pare de oscilar e deixe suas mãos no lugar, e sinta a força vital surgindo entre suas mãos.

Sugestão: Pratique a *LIÇÃO DOIS* antes de continuar.

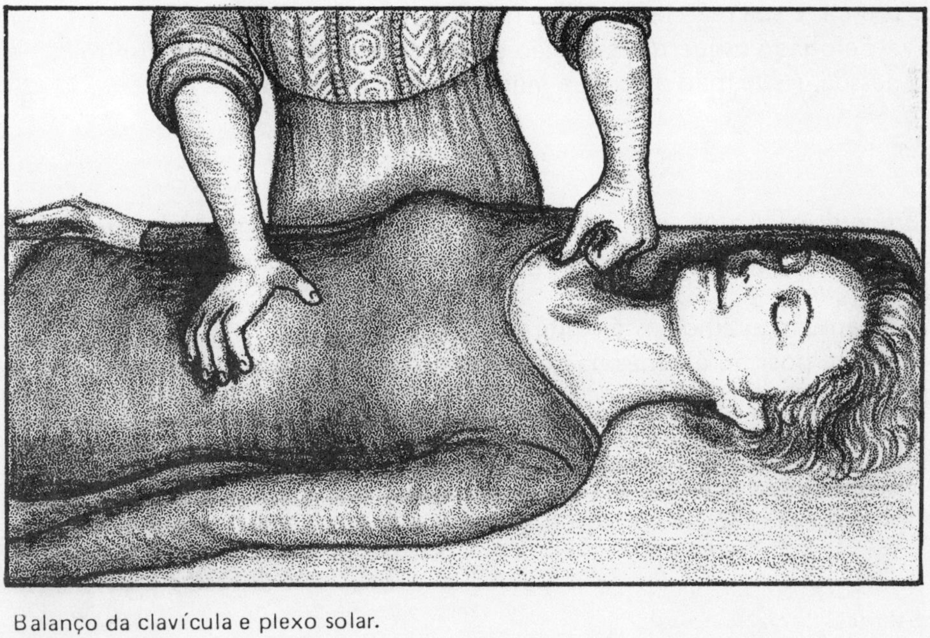

Balanço da clavícula e plexo solar.

LIÇÃO TRÊS

MOVIMENTOS FINAIS

Agora que o trabalho de alívio profundo liberou a força vital que estava bloqueada, usaremos técnicas de toque sutil para polarizar a energia. Friccione suas mãos ativamente antes de cada movimento, e jogue fora a energia estática antes de cada movimento, sacudindo as mãos, como se você estivesse espirrando água.

Posição 16 — Mão e Pé

Estando do lado direito, sua mão direita deve segurar o pé esquerdo da pessoa, e sua mão esquerda, a mão direita da pessoa.

Pelo lado esquerdo, sua mão esquerda deve segurar o pé direito da pessoa, e sua mão direita, a mão esquerda da pessoa.

Comentário: Antes de começar, friccione suas mãos vigorosamente. Deixe suas mãos no lugar enquanto nelas sentir qualquer formigamento de energia.

Seu amigo ainda está respirando fundo?

Esta posição é a mesma que as posições 5 e 6 do círculo de polaridade.

Posição de mão e pé.

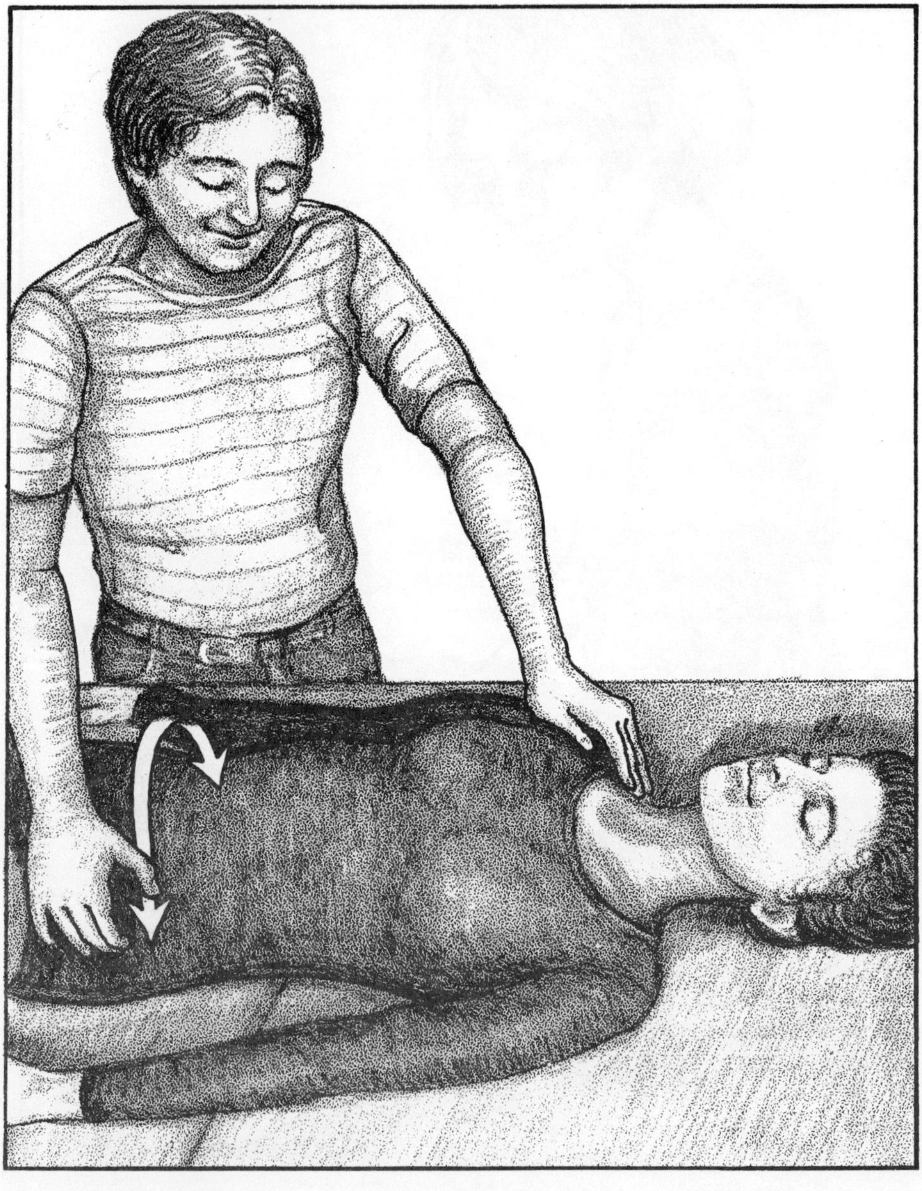

Pressão no ombro e quadril.

Posição 17 — Balanço do Quadril e Mão no Ombro

Fique do lado direito da pessoa. Descanse sua mão direita sobre o osso do quadril esquerdo, e sua mão esquerda no ombro direito. Balance os quadris para frente e para trás ritmicamente por alguns minutos, e então pare. Deixe suas mãos no lugar enquanto a energia estiver forte.

Em seguida, faça o mesmo movimento do lado esquerdo da pessoa. Inverta as posições da mão, ficando a sua mão direita sobre o ombro esquerdo, e sua mão esquerda sobre o quadril direito.

Comentário: Assegure-se de que movimenta apenas os quadris e não os ombros. Quando o movimento terminar, você e seu amigo sentirão um fluir enorme de energia vital. Você a sentirá em suas mãos e seu amigo, por todo o corpo. Eu comumente experimento o formigamento nas mãos por um a cinco minutos.

Esta posição é a mesma que as posições 3 e 4 do círculo de polaridade.

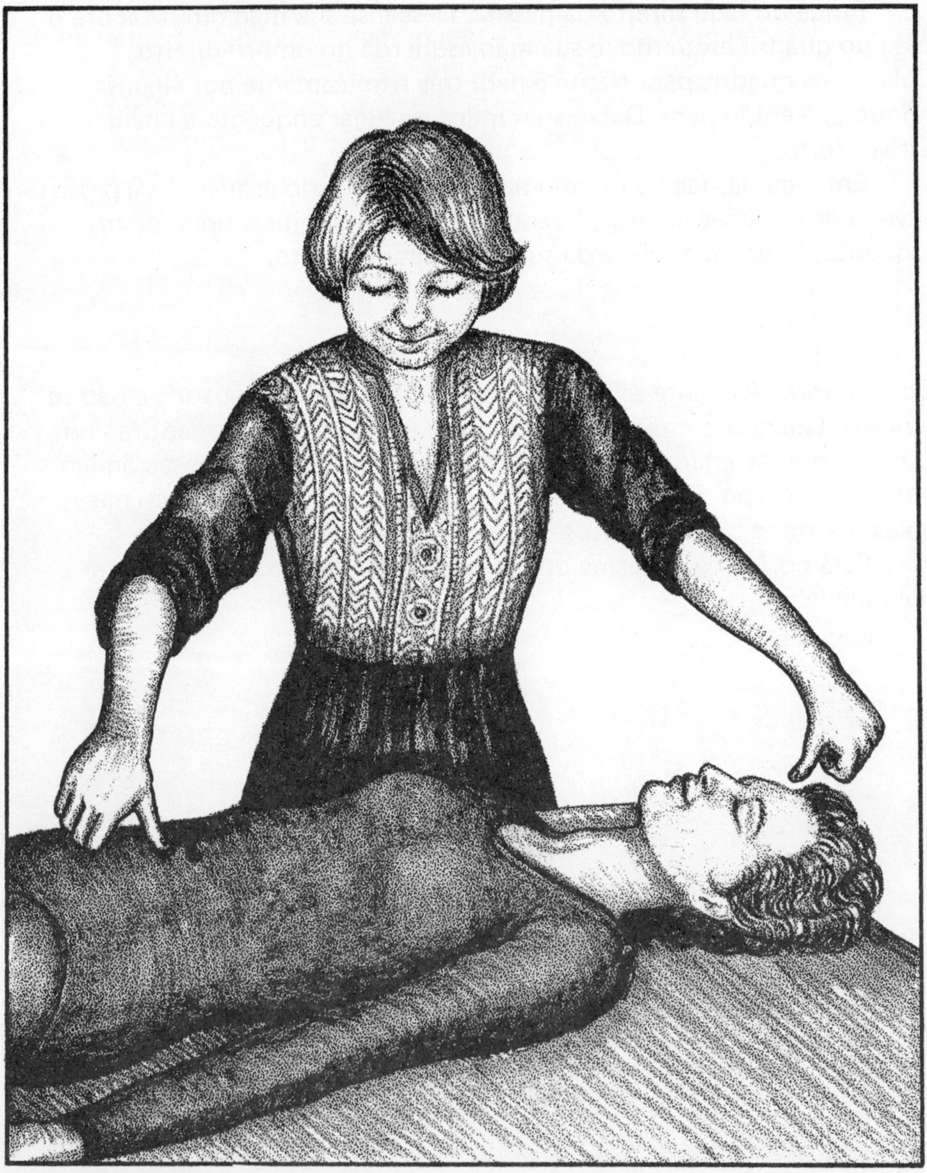

Posição da testa e umbigo.

Posição 18 — Testa e Umbigo

Fique do lado direito do seu amigo, feche as mãos e aponte ambos os polegares para baixo. Delicadamente toque o polegar direito num ponto um pouco abaixo do umbigo. O polegar esquerdo, também apontando para baixo, não entra em contato físico e é colocado no centro da testa, a um centímetro acima das sobrancelhas. Fique com suas mãos no lugar por alguns minutos.

Comentário: Preste atenção para que a mão esquerda não toque a testa. A energia é melhor contatada quando o polegar está a alguns milímetros da testa. Você pode sentir um formigamento agudo no seu polegar esquerdo. Não é difícil para as pessoas que estão recebendo este toque ver cores bonitas e dormir.

Fique tão confortável quanto possível nesta posição.

Posição 19 – Expansão do Alto da Cabeça

De maneira suave, abra seus dedos por sobre a testa, enquanto seus polegares devem estar sobre o topo da cabeça. Os polegares não se tocam e não há contato físico neste movimento.

Comentário: Fique numa posição confortável. Este é um movimento muito relaxante e poderoso. Permaneça com as mãos no lugar enquanto você sentir uma forte troca de energia. Lembre-se de friccionar suas mãos antes de começar e de pôr fora a energia estática quando você acabar.

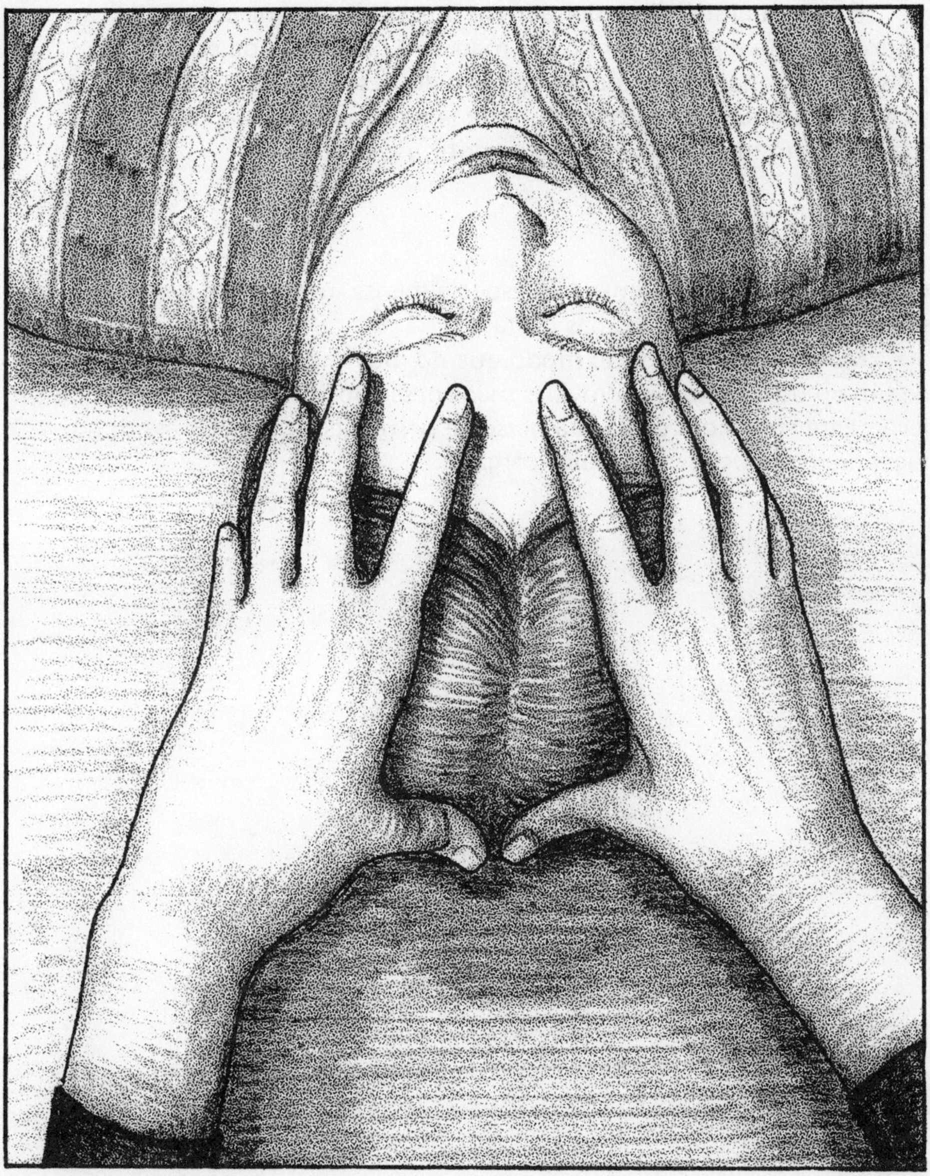

Expansão da coroa.

Posição 20 – Carregar a Espinha

Faça seu amigo ficar deitado de bruços. Friccione suas mãos vigorosamente e então ponha sua mão direita na base da espinha da pessoa, e sua mão esquerda no começo do pescoço. Faça movimentos suaves com a sua mão direita durante alguns minutos, deixando então suas mãos no lugar enquanto você sentir a energia vital.

Comentário: Este movimento é especialmente importante nesta série se seu amigo tem problemas nas costas.

Movimente do mesmo modo que no movimento da barriga. Depois de um ou dois minutos com suas mãos nessa posição, levante-as levemente acima das costas da pessoa e permaneça com elas assim no lugar em que você sentir maior carga.

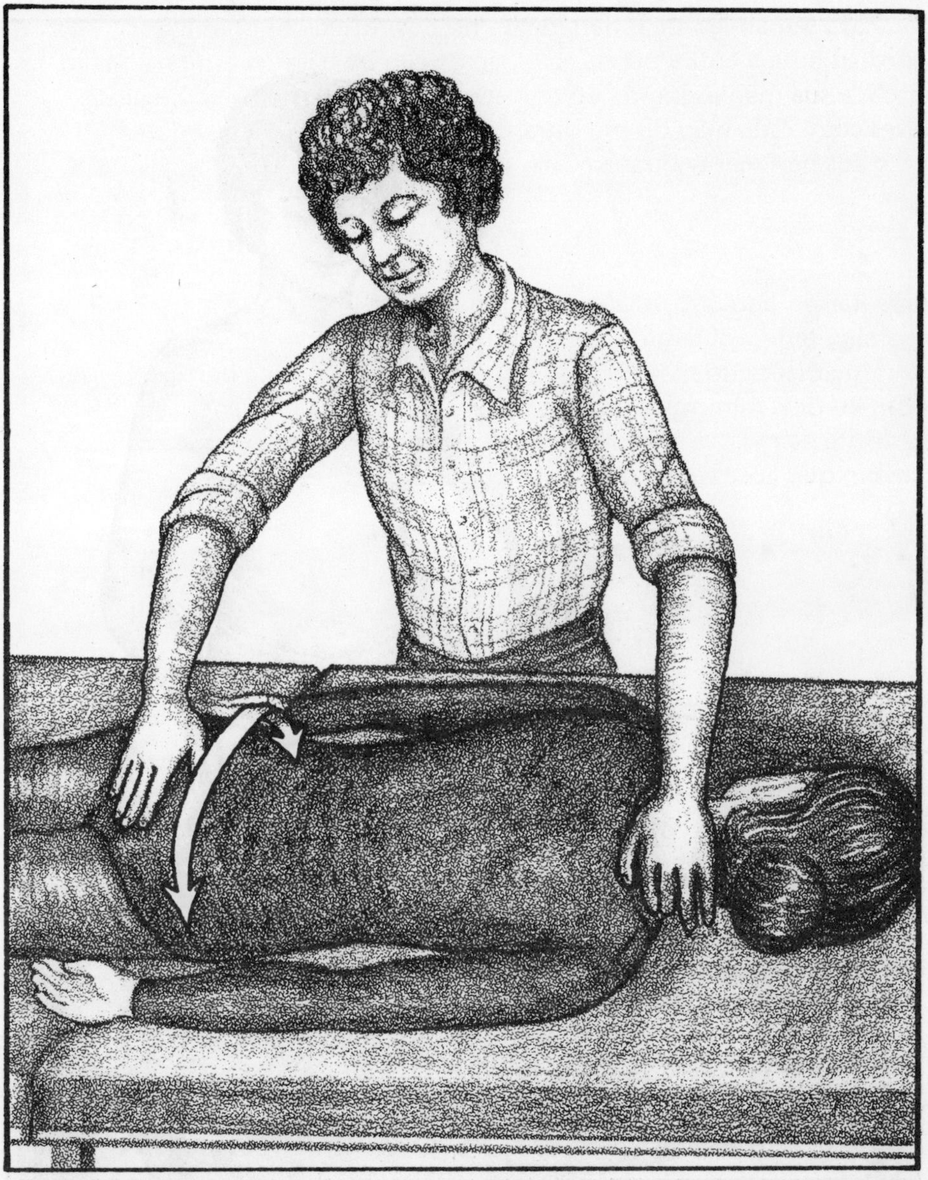

Carga da espinha.

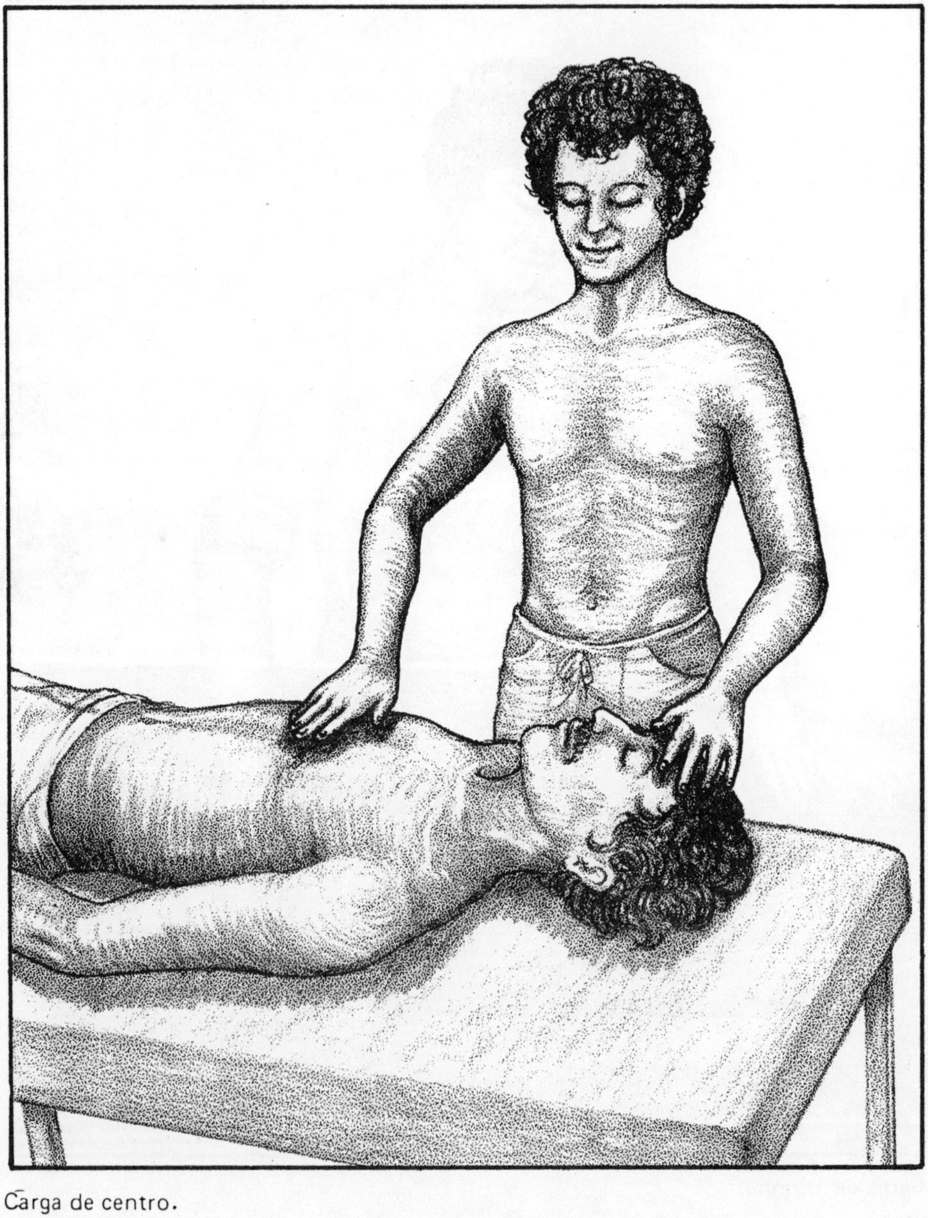

Carga de centro.

Posição 21 — Carregar o Centro

Faça seu amigo deitar de costas. Friccione suas mãos vigorosamente e, quando você sentir uma carga forte em suas mãos, ponha sua mão direita sobre o coração a uns três ou cinco centímetros de distância do corpo e sua mão esquerda levemente acima da testa. Fique nessa posição durante todo o tempo em que a troca de energia seja forte.

Comentário: Conserve as suas mãos no nível em que você sentir a maior carga de energia vital.

Deixe que seu amigo descanse quanto quiser. Esta é uma boa hora para você lavar suas mãos em água fria. Quando você sentir que seu amigo está pronto, vá para as posições 22 e 23.

Posição 22 – Limpeza das Costas

Ajude seu amigo a se sentar quando você sentir que ele está pronto. Delicadamente, passe os dedos nas costas seguindo este modelo: Comece com a mão direita no ombro direito, e a mão esquerda no ombro esquerdo. Passe os dedos atravessando as costas de maneira que as mãos se cruzem na base do pescoço e continue nos ombros. Agora, leve a sua mão direita abaixo do lado esquerdo do corpo, enquanto sua esquerda vai do lado direito, para baixo. Suas mãos se cruzam novamente debaixo da cintura. Faça isto umas dez vezes.

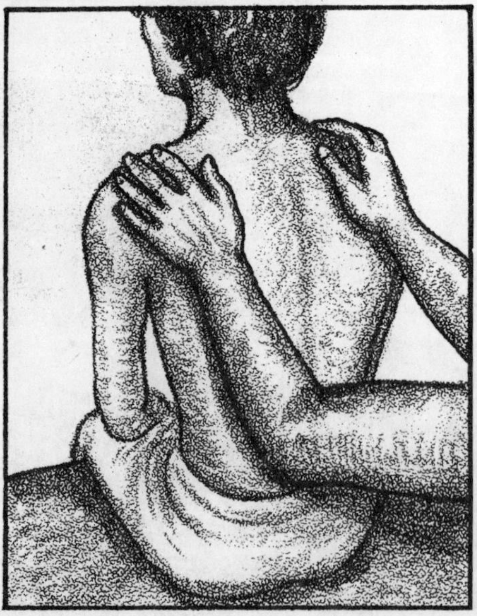

1 – Começar a posição.

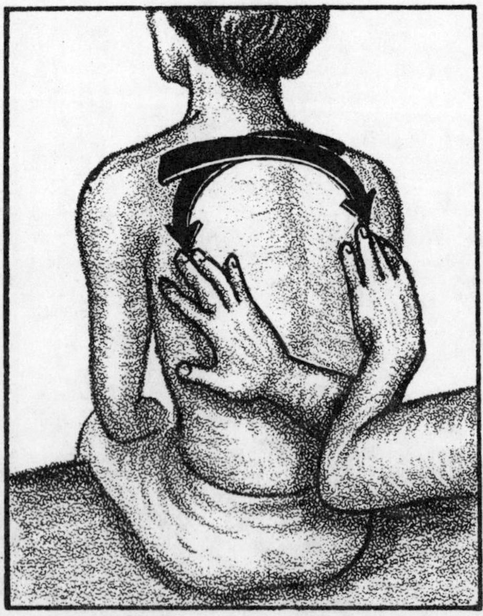

2 – As mãos se cruzam no pescoço.

Comentário: Comece com firmeza até que o toque fique cada vez mais leve, até que você quase não toque. Continue fazendo esse movimento sem tocar.

Ponha fora a energia estática cada vez que você fizer o movimento.

Este é um movimento que você pode fazer em amigos quando dispõe de apenas alguns minutos.

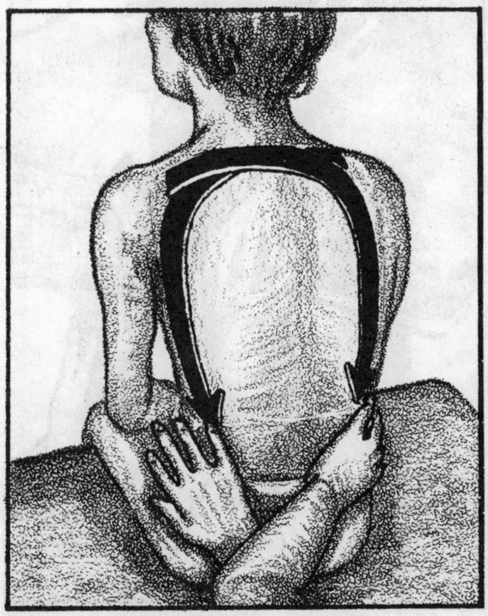

3 – Laterais para baixo.

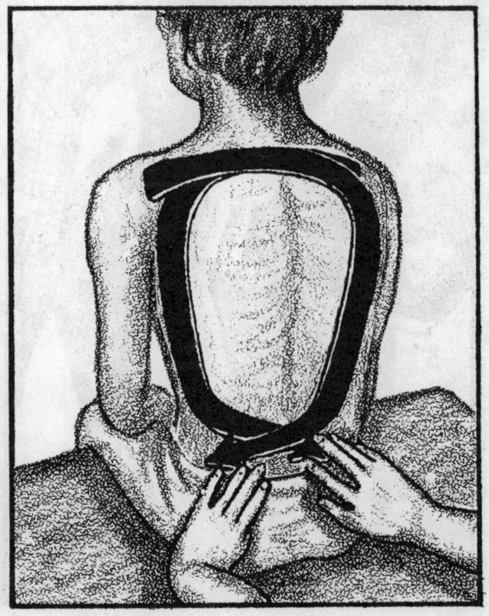

4 – As mãos se cruzam na base da espinha.

Começando a posição.

Fazendo a limpeza na fronte

Posição 23 – Limpeza da Fronte

Limpeza da testa, começando do alto da cabeça. Sua mão direita desce pelo lado esquerdo e sua mão esquerda desce pelo lado direito do seu amigo. Faça isso umas dez vezes.

Comentário: Use as mesmas técnicas de toque usadas nos movimentos anteriores.

Neste ponto, deixe que seu amigo descanse o quanto ele quiser. *Lave as suas mãos em água fria para remover a energia estática. Dê ao seu amigo um copo de água, suco ou chá de ervas.*

Recomendo que você pratique as três lições da sessão de polaridade geral antes de prosseguir com os movimentos específicos. Os movimentos específicos funcionam melhor quando feitos juntamente com a sessão geral de polaridade.

SIMPLICIDADE

Há muito tempo que existe a suposição popular de que o bom remédio tem que ser amargo, que um tratamento tem que ser doloroso para ser eficiente, e que um sistema inteligente tem que ser complicado. O sistema de equilíbrio através da energia polarizada quebra essa tradição, pois ela é simples e, ainda assim, eficiente. Não se impressione mal por causa da simplicidade do sistema. Ao mesmo tempo em que ele possa parecer tão simples quanto uma maçã na árvore, é tão misterioso quanto a própria vida dentro de uma célula. O sistema de polaridade, um método para restaurar o fluxo natural de energia vital, proporciona novas ferramentas para cura e transformação pessoal, e poderia facilmente criar um impacto revolucionário na consciência da saúde.

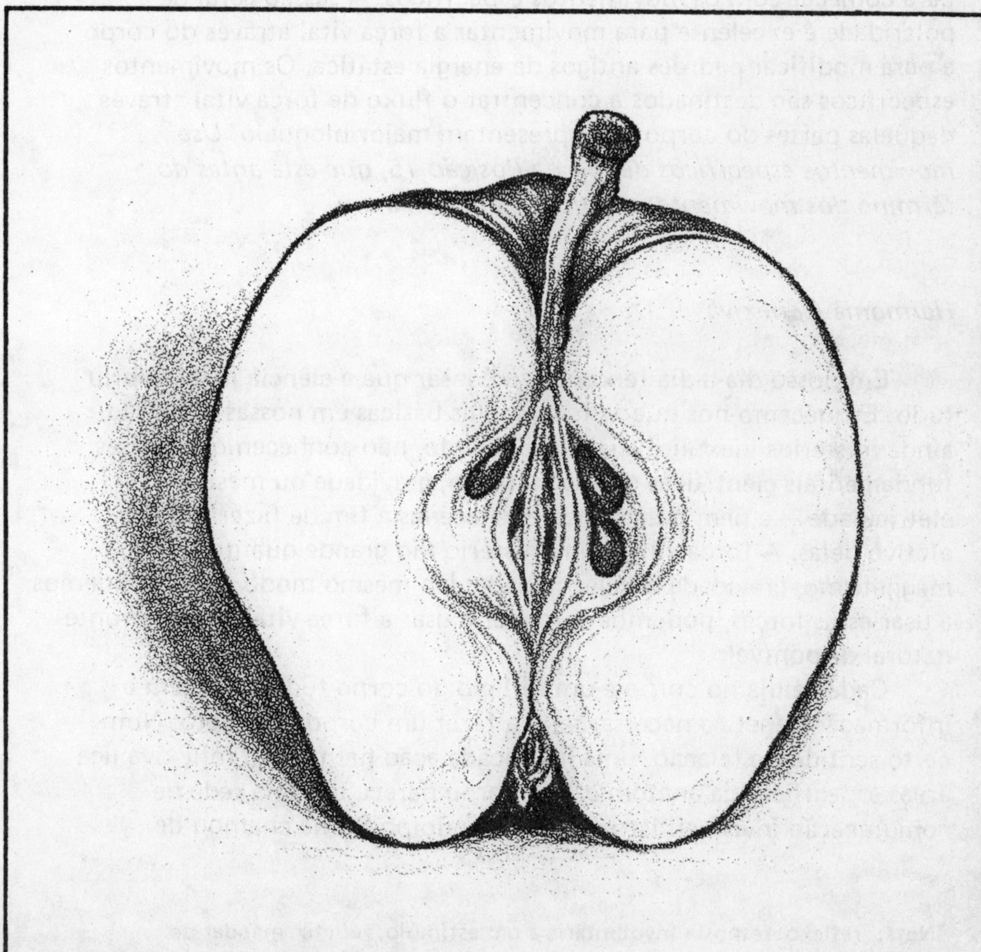

SEÇÃO III

MOVIMENTOS ESPECÍFICOS

Depois que você dominou a sessão geral de polaridade, está pronto para começar com os movimentos específicos. A sessão geral de polaridade é excelente para movimentar a força vital através do corpo e para modificar padrões antigos de energia estática. Os movimentos específicos são destinados a concentrar o fluxo de força vital através daquelas partes do corpo que apresentam maior bloqueio. *Use movimentos específicos depois da Posição 15, que está antes do término dos movimentos da sessão geral um-a-um.*

Harmonia Reflexiva

Em nosso dia-a-dia tendemos a pensar que a ciência já descobriu tudo. Esquecemo-nos que as forças mais básicas em nossas vidas são ainda mistérios inexplicáveis. Por exemplo, não conhecemos as bases fundamentais científicas do magnetismo, gravidade ou mesmo eletricidade — e nem precisamos conhecê-las a fim de fazer um uso efetivo delas. A força vital é um mistério tão grande quanto o magnetismo, gravidade ou eletricidade. Do mesmo modo que aprendemos a usar essas forças, podemos aprender a usar a força vital, a nossa fonte natural disponível.

Cada célula no corpo é um reflexo do corpo todo e contém a informação genética necessária para fazer um corpo completo. Num certo sentido de relação, uma intrincada ação harmônica reflexiva liga áreas específicas da anatomia.* O Corpo parece ter uma rede de comunicação invisível. Isto é o que Randolph Stone chamou de

***Nota:** reflexo: resposta involuntária a um estímulo; refletir: mandar de volta uma imagem.

"Anatomia Sem Fio". Como no caso do magnetismo, você não precisa entender por que ela está lá para usá-la. Vamos examinar como isso se aplica aos movimentos específicos.

Nossos corpos podem ser divididos horizontalmente em zonas eletricamente carregadas positivas (+), neutras (0) e negativas (–). Zonas carregadas positivamente refletem harmonicamente a condição de outras zonas carregadas positivamente. O mesmo é verdade para zonas carregadas neutra e negativamente. A aplicação de uma pressão estimuladora ou introdução de força vital numa zona positiva, negativa ou neutra será transmitida e harmonicamente refletida em outras zonas carregadas de maneira similar.

Zonas de Polaridade Horizontal

Toda porção do corpo pode ser dividida horizontalmente em zonas carregadas positiva, neutra e negativamente. A área que vai dos ombros até o topo da cabeça pode ser dividida em zonas carregadas positiva, neutra e negativamente. A região que vai da pélvis aos ombros e dos pés aos quadris pode ser classificada da mesma maneira. As palmas das mãos e as solas dos pés estão também divididas nessas mesmas três zonas.

Zonas carregadas positivamente harmonicamente refletem (dão uma resposta involuntária) outras zonas carregadas positivamente. O mesmo é verdade para zonas carregadas neutra e negativamente.

Linha Central

O corpo pode também ser dividido verticalmente. Podemos desenhar uma linha reta que vai do nariz à base da barriga, e chamá-la linha central do corpo. Se você ficar em pé, com os pés juntos, verá que os dedos grandes estão perto da linha central do seu corpo, enquanto que os dedinhos estão do lado de fora do corpo. Os dedões refletirão as áreas próximas ao centro do corpo, enquanto que os dedinhos refletirão as áreas afastadas da linha central.

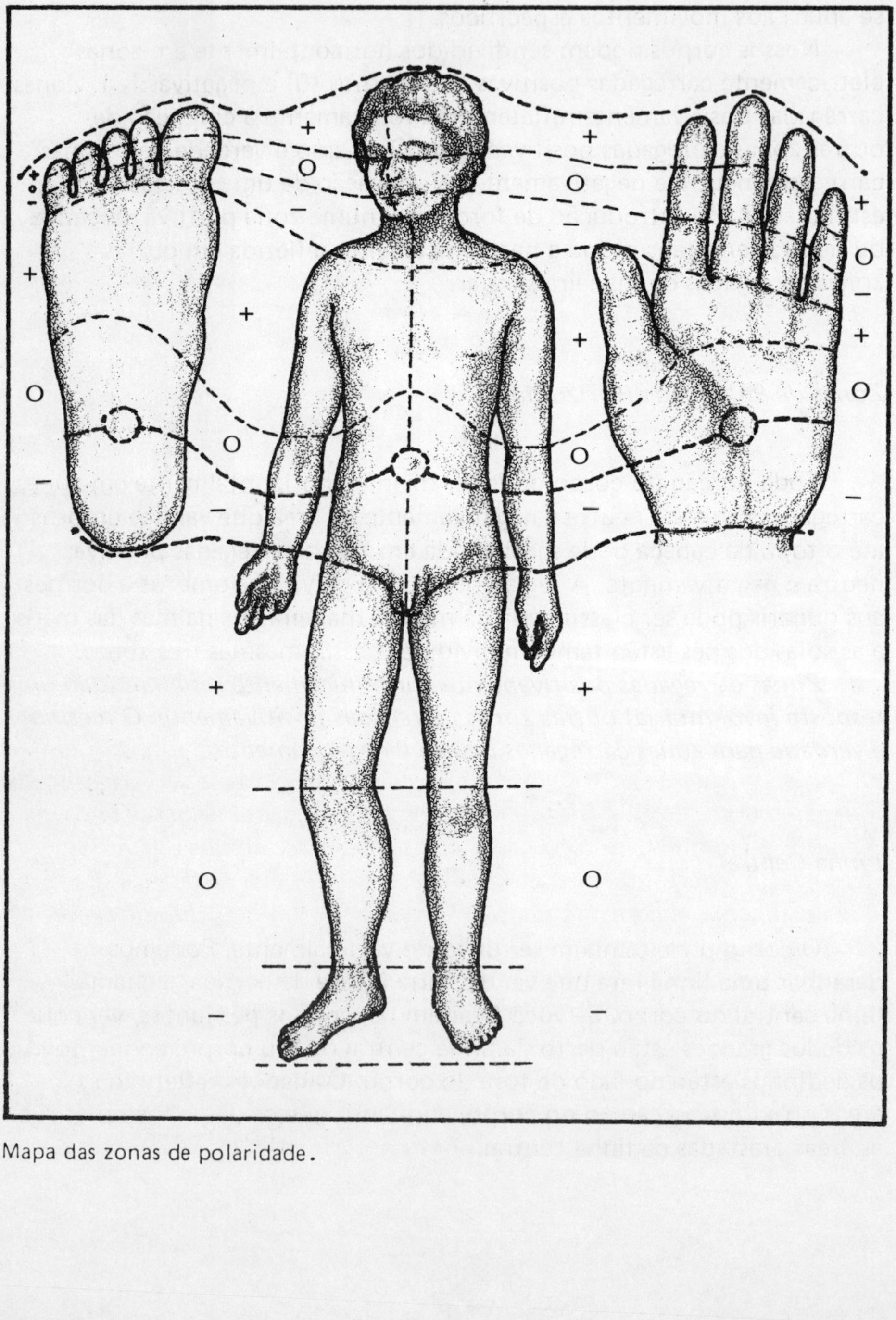

Mapa das zonas de polaridade.

Linha central do corpo.

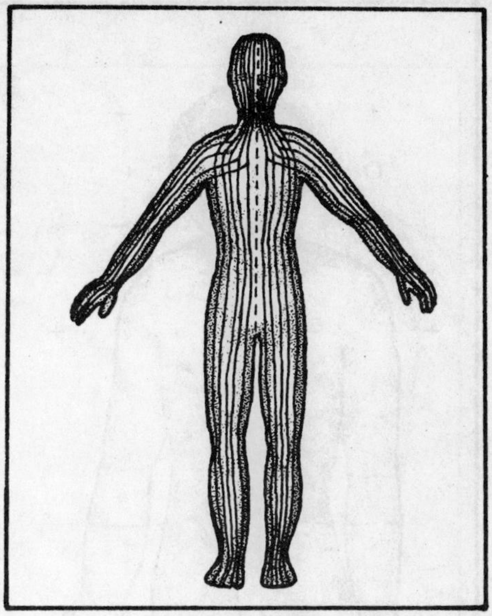

Localizando Pontos Doloridos – Princípios

PRINCÍPIO 1: *Pontos doloridos serão encontrados em correspondência à localização de zonas carregadas.*

Você pode usar as zonas verticais e horizontais para formular movimentos específicos. Digamos que, quando massageando o pé do seu amigo, você encontrou um ponto dolorido no lugar marcado com um X no pé. Este lugar está a dois terços do caminho acima da seção carregada positivamente do pé, perto da linha central do corpo. Agora, vamos ver o peito que tem também uma carga positiva, e marcaremos um X dois terços acima perto da linha central do corpo. Se você investigar essa área, provavelmente encontrará também um ponto bem dolorido no peito. Haverá um ponto bem dolorido na perna dois terços acima na zona positiva, em direção à linha central, e um lugar na testa, assim como na mão também. Todos os pontos marcados com X devem ser doloridos.

PRINCÍPIO 2: *O que é verdadeiro para o lado esquerdo é muitas vezes verdadeiro para o lado direito.*

Quando você encontrar um ponto dolorido do lado esquerdo do

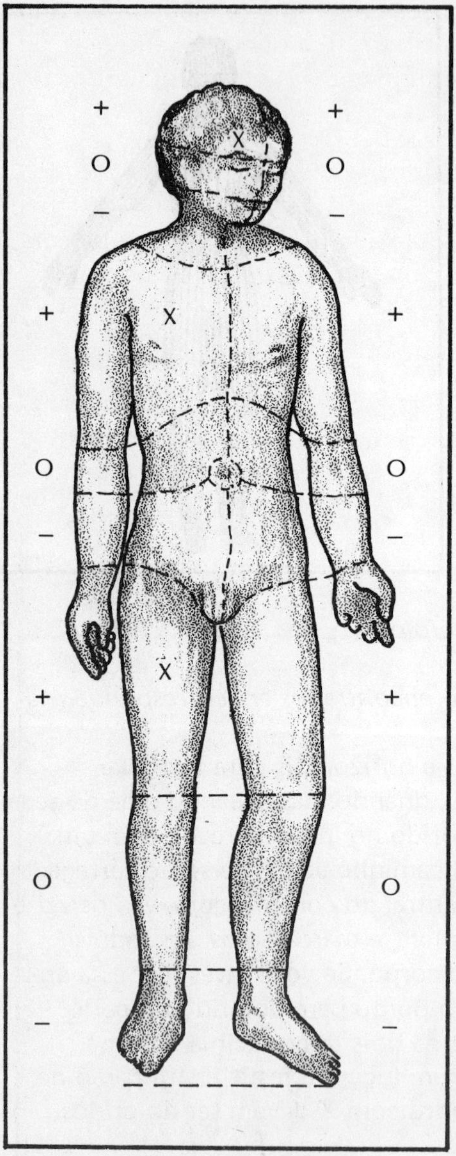

''X'' marca os pontos doloridos em correspondência com os locais das zonas carregadas.

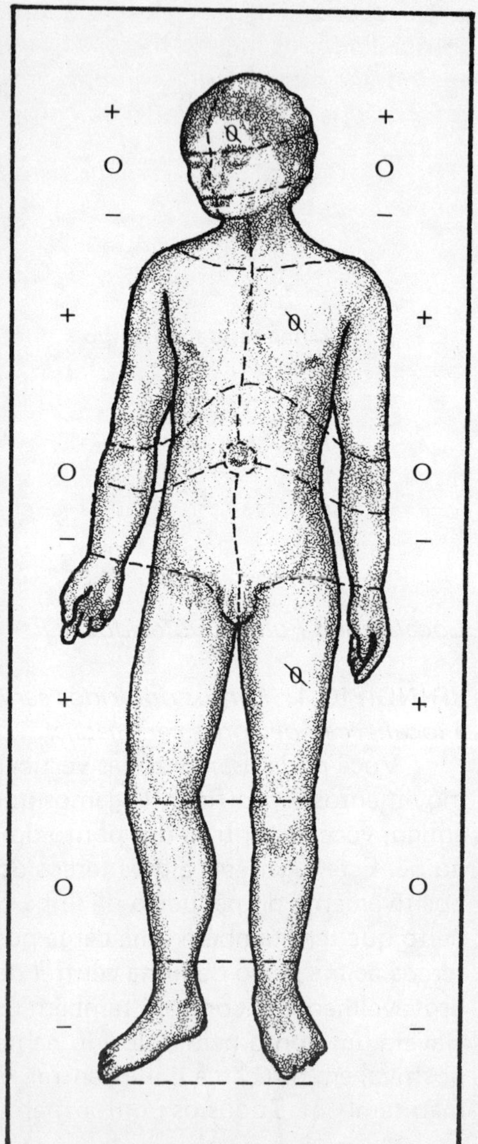

''ϕ'' marca os pontos doloridos refletidos no lado esquerdo do corpo.

corpo, provavelmente encontrará outro ponto dolorido no lado direito do corpo. Todos os lugares marcados com ϕ correspondem a lugares que serão doloridos no lado esquerdo, refletindo aqueles pontos doloridos já encontrados no lado direito do corpo.

PRINCÍPIO 3: *O que é verdade para a frente é muitas vezes verdade para as costas.*

Quando você encontra um ponto dolorido na frente de uma pessoa, provavelmente encontrará outro ponto dolorido nas costas da pessoa.

PRINCÍPIO 4: *Pontos doloridos muitas vezes serão encontrados à volta das juntas principais do corpo.*

As juntas principais são os tornozelos, joelhos, quadris, pulsos, cotovelos, ombros e pescoço. As juntas principais são como cruzamentos para a força vital e muitas vezes tornam-se congestionadas. Comumente você encontra áreas sensíveis perto dessas juntas principais.

As principais juntas do corpo.

Pontos reflexos na parte de trás.

Identificando os Pontos Doloridos

Pontos doloridos estão muitas vezes relacionados com desequilíbrios na pele, músculos, ossos, órgãos, sangue e linfa. Olhando no quadro fisiológico dos órgãos, você pode ver suas localizações no corpo, e pode associá-los com os lugares doloridos correspondentes. Por exemplo, para encontrar onde o fígado reflete, olhe no quadro fisiológico e verá que o fígado está do lado direito do corpo, bem atrás da parte mais baixa da caixa torácica. Olhe em relação à linha central do corpo. Note que a sua localização está ao pé da zona do peito que está carregada positivamente. Agora, olhe o quadro do pé, e você poderá ver claramente por que o fígado é refletido naquela parte do pé.

Você pode encontrar pontos onde a força vital está bloqueada, e saber que alguma coisa está acontecendo nessa área. Porém, a menos que você seja um médico, não terá informações suficientes para dizer mais que isso. Todas as vezes evite fazer diagnósticos.

Quando alguém está numa condição de enfraquecimento, pode ser altamente suscetível à sugestão. É perigoso dizer a alguém o que você pensa que há de errado com ele. Pode ser que ele acredite em você. Algumas pessoas estão esperando por uma oportunidade para se atirar em algum sintoma e ampliá-lo numa completa doença ou inabilidade. A sugestão de doença pode fazer uma pessoa preocupada e a crença de que se está doente pode ir longe e criar mesmo uma doença.*

*Nota: Pela lei, em todos os 50 estados, você não deve reivindicar o direito de tratar, fazer diagnose, receitar ou dar terapia de cura. De acordo com a lei, pessoas doentes devem ser informadas que elas deveriam consultar um médico especialista no caso necessário. Você pode recomendar que elas consultem um médico que esteja envolvido com práticas de cura integral, como um médico naturopático, um quiroprático ou osteopático que seja experiente em terapia nutricional ou jejum. Uma boa sugestão é escrever para a Associação Americana de Medicina Integral, Estrada 2, Welch Coulee, La Crosse, Wisconsin — 54601, solicitando uma recomendação para alguém na sua área.

Você por dar sessões de polaridade com finalidade educacional, recreativa ou de pesquisa, ou como parte da sua religião. Por motivos legais, não anuncie que você trata, diagnostica, receita, dá terapia ou cura.

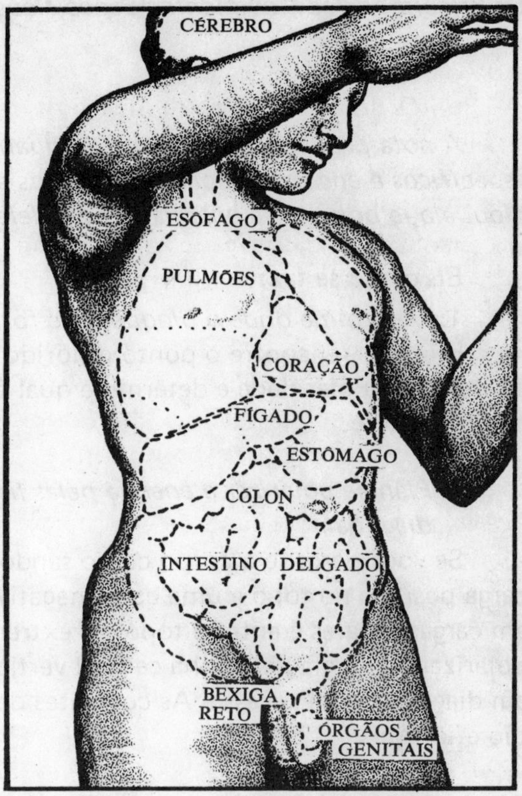

Mapa fisiológico.

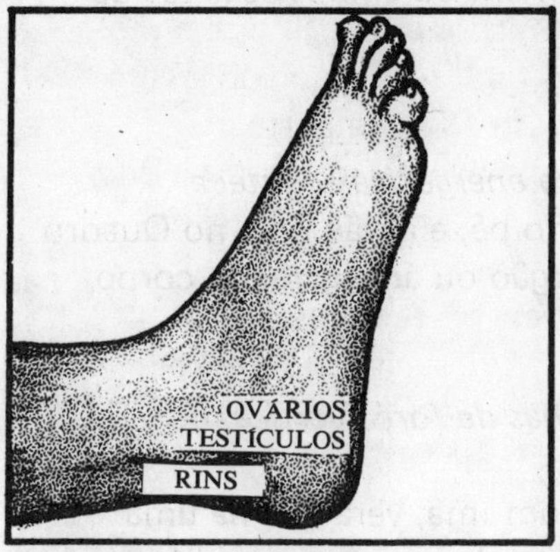

Pontos reflexos na parte de fora do calcanhar.

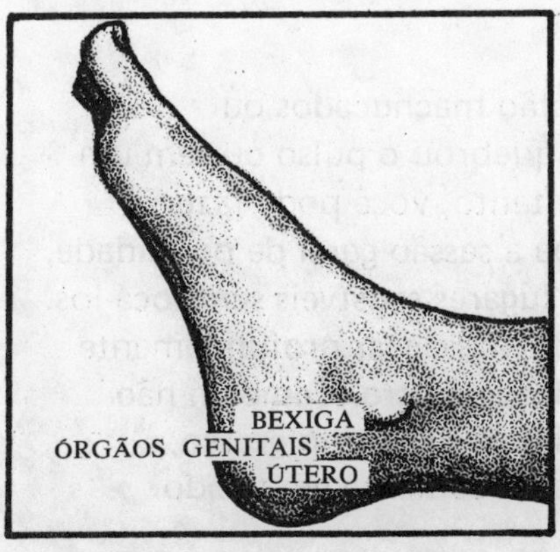

Pontos reflexos na parte interior do calcanhar.

Os Princípios dos Movimentos Específicos

A nota principal a ser lembrada quando se aplicam movimentos específicos é encontrar pontos doloridos em um ou ambos os lados do bloqueio, e polarizar a energia através dele.

Eis como se faz:

1. *Determine onde o bloqueio de força energética acontece.*

Primeiro, encontre o ponto dolorido no pé, e então olhe no Quadro de Zonas de Polaridade e determine qual órgão ou área geral do corpo que ele reflete.

2. *Planeje polarizar a energia pelas linhas de força vertical ou diagonal.*

Se você percebe o corpo como sendo um ímã, verá que há uma carga positiva no topo e uma carga negativa embaixo. A maior diferença em cargas polares é entre o topo e a extremidade oposta. Você pode polarizar a energia pela linha central verticalmente ou através do corpo em diagonal, com sucesso. As correntes de linhas horizontais não são tão eficientes.

Precaução: Não pressione os pontos que estão machucados ou infeccionados. Isto significa que se alguém quebrou o pulso ou tem um ponto infeccionado, não o pressione. No entanto, você pode fazer três coisas: Primeiro, pode aplicar na pessoa a sessão geral de polaridade. Segundo, pode canalizar energia através de lugares sensíveis sem tocá-los. Terceiro, se existe um pulso quebrado, pode massagear profundamente o outro pulso que está bom porque um reflete o outro. Também não pressione profundamente órgãos internos, isto é, intestino grosso, intestino delgado, bexiga, etc. Aplique pressão somente em tecido muscular e ossos.

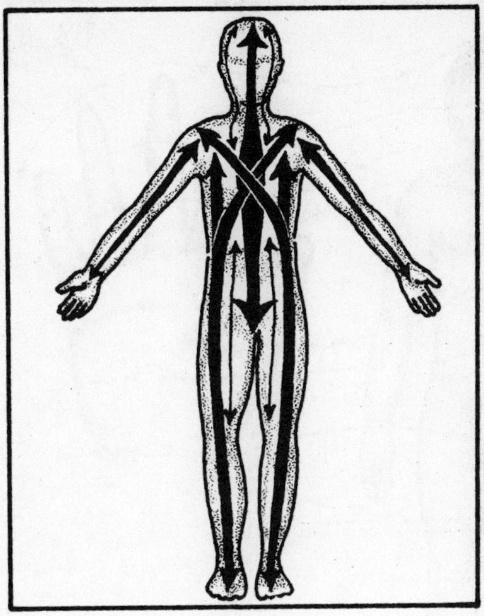

Linhas fortes de força.

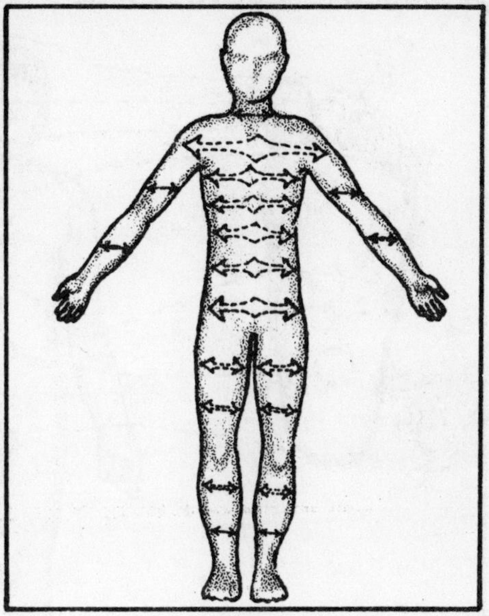

Linhas fracas de força.

Aplicando os Princípios

Vejamos como podemos aplicar os princípios dos movimentos específicos.

1. *Identifique os pontos doloridos com seus órgãos correspondentes ou áreas do corpo.*

Começamos enquanto estamos massageando o pé. Preste atenção em qualquer ponto dolorido no pé. Marque onde eles estão e que outra área eles refletem. Como exemplo, digamos que encontramos um ponto dolorido na parte superior da zona neutra na sola de um ou dois pés. Olhe no quadro e você verá que esse ponto reflete a área do colo transverso.

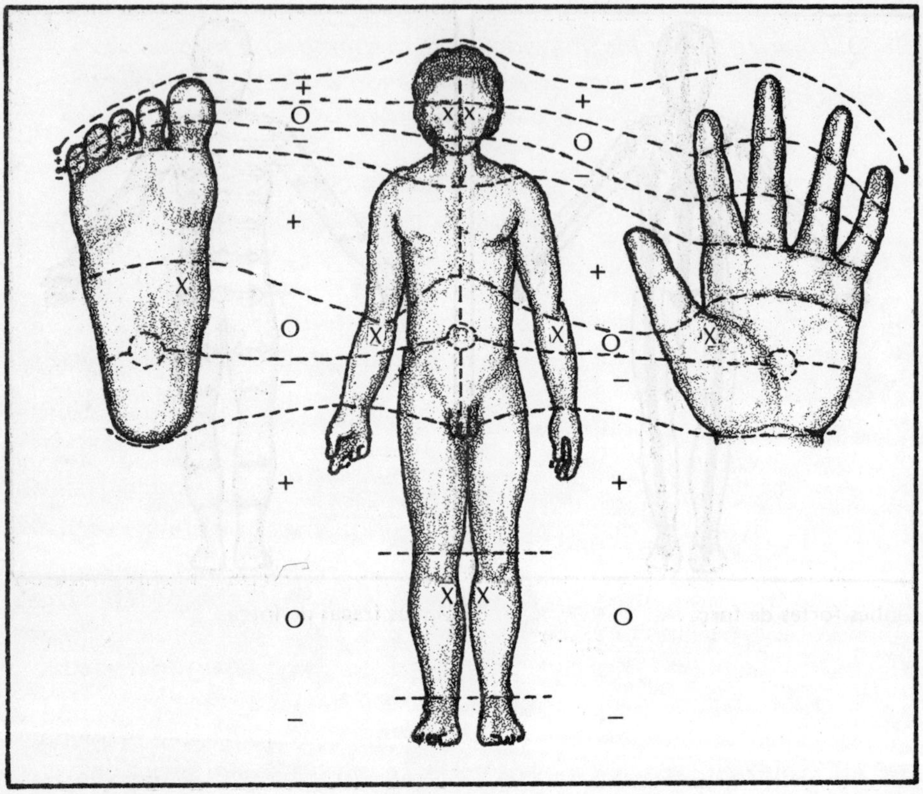

Pontos doloridos que refletem o colo transverso.

2. *Identifique e localize os pontos doloridos reflexos correspondentes.*

Os pontos doloridos correspondentes em nosso exemplo serão no outro pé e na parte superior da zona neutra da barriga da perna. Em seguida, você pode igualmente encontrar pontos doloridos na palma da mão na direção da parte superior da zona neutra. Um ponto dolorido também poderia ser encontrado na parte superior da zona neutra do antebraço. Procure pontos doloridos nos ossos da face e nas costas. Todas essas áreas são igualmente sujeitas a pontos doloridos.

3. *Polarize os pontos doloridos para desbloquear a força vital.*

Você pode ser muito criativo canalizando a energia entre os pontos doloridos. Aqui estão algumas das possíveis variações:

- Sua mão direita segura o ponto reflexivo dolorido no pé esquerdo, e sua mão esquerda segura o ponto reflexivo dolorido do intestino na mão direita.

  Neste movimento há uma boa corrente cruzada que se moverá através da perna e de todo o dorso, incluindo o intestino, até os ombros, descendo até as mãos. Em seguida, faça isso do outro lado, para conservar ambos os lados em equilíbrio. *Trabalhe os lados direito e esquerdo do corpo igualmente para conservar a força vital em equilíbrio.*
- Outra variação seria a pessoa deitar sobre o estômago, com os joelhos dobrados, de modo que os pés fiquem para cima, no ar. Sua mão direita estimula os pontos doloridos nos pés direito e esquerdo, enquanto sua mão esquerda trabalha os pontos reflexivos doloridos no lado de baixo do pômulo.

  Isto faz com que as correntes longas do corpo sejam trabalhadas. Elas são chamadas longas porque cobrem longas distâncias. Movimentos de corrente curta são benéficos em uma área pequena, enquanto que movimentos de corrente longa têm um benefício mais geral sobre todo o corpo. É uma boa idéia,quando você estiver criando movimentos específicos, incluir ambos os movimentos de corrente longa e curta.
- Seu amigo está deitado de costas. Ponha sua mão esquerda sobre os intestinos (não use pressão) e com a sua mão direita localize e estimule pontos doloridos no ventre. Ponha tanta pressão quanto seu amigo puder suportar. (**Nota**: sua mão esquerda está sobre o centro do corpo; então sua mão direita está livre para polarizar ambos os lados esquerdo e direito.)

  Sua mão esquerda não está aplicando pressão, portanto preste atenção e friccione suas mãos antes de fazer contato com o campo de energia da pessoa. Quando você acabar com qualquer movimento sem pressão, assegure-se de sacudir suas mãos para remover a energia estática.

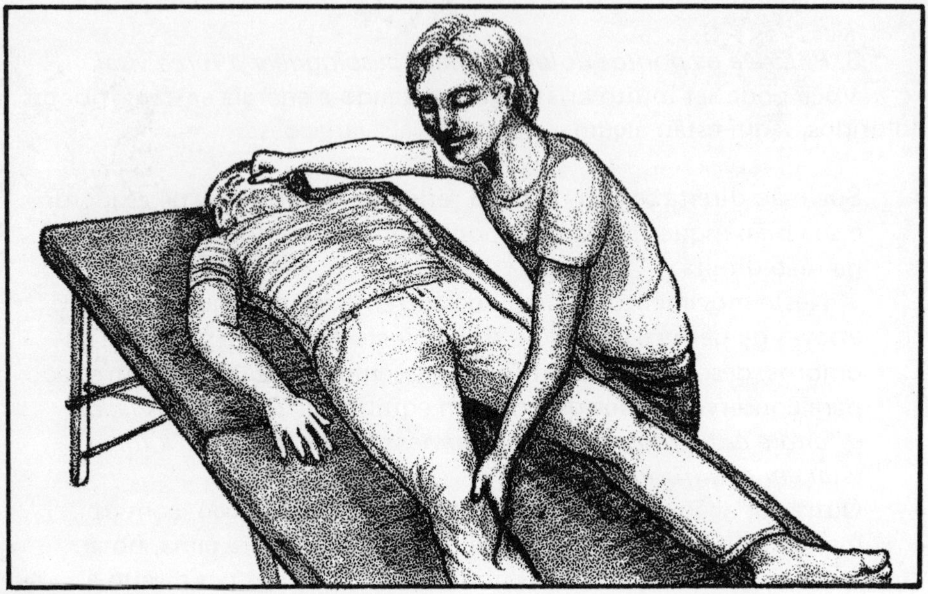

Polarizando pontos reflexos doloridos na bochecha e barriga da perna.

- Estimule os pontos doloridos no lado esquerdo da face com sua mão direita, enquanto sua mão esquerda contata os pontos doloridos na perna direita debaixo do joelho. Isso feito, faça o mesmo no outro lado do corpo para conservar ambos os lados equilibrados.

Cada uma das variações acima canaliza energia através de centros reflexivos importantes para os intestinos.

4. *Canal entre pontos doloridos de diferentes origens.*

Se você encontra pontos doloridos relacionados com outros órgãos ou áreas do corpo, você pode trabalhar pontos não relacionados entre si. Faça com que as correntes de energia vão pelas partes do corpo onde haja maior bloqueio.

Por exemplo, você poderia polarizar o ponto reflexo do intestino que está na barriga com os pontos reflexos dos pulmões, no peito.

A idéia principal é trabalhar os pontos doloridos e polarizar a energia através dos lugares que apresentam maior bloqueio.

Sumário

Em qualquer hora que suas mãos estejam polarizando força vital através de áreas que expressam bloqueio, o movimento será de benefício.

Os meios básicos de canalizar força vital nos movimentos específicos são:

1. Procure e trabalhe os pontos reflexos que estão acima e abaixo da área que manifesta bloqueio.

2. Procure e trabalhe um ponto reflexo acima do bloqueio, enquanto você canaliza diretamente na área bloqueada com sua mão sem usar pressão.

3. Com uma mão encontre e trabalhe um ponto reflexo abaixo do ponto de bloqueio, enquanto que a outra mão canaliza diretamente no bloqueio.

4. Trabalhe dois pontos reflexos juntos que estão diretamente no caminho do bloqueio.

5. Combine pontos reflexos não relacionados que estão em cima e embaixo das áreas de bloqueio.

Centros Dinâmicos

Há certos centros do corpo que são altamente receptivos ao fluxo de força vital. Esses centros podem ser usados com qualquer outro ponto reflexo dolorido.

Esses centros são:

- O cóccix
- O umbigo
- A base do osso occipital

O Cóccix

O cóccix (extremidade do osso do rabinho) é um dos mais importantes centros de polaridade. Seu valor não pode ser dimensionado. Por causa da sua localização bem no fim da espinha, o cóccix tem a polaridade negativa maior do que qualquer lugar da espinha. Você pode pôr o dedo médio da sua mão direita* bem na extremidade do osso final da espinha, e ligar sua mão esquerda a qualquer ponto dolorido acima do cóccix. Este movimento é ótimo para problemas das costas, facilitar partos, relaxar tensão relacionada com doença e é uma grande ajuda para as sessões gerais.

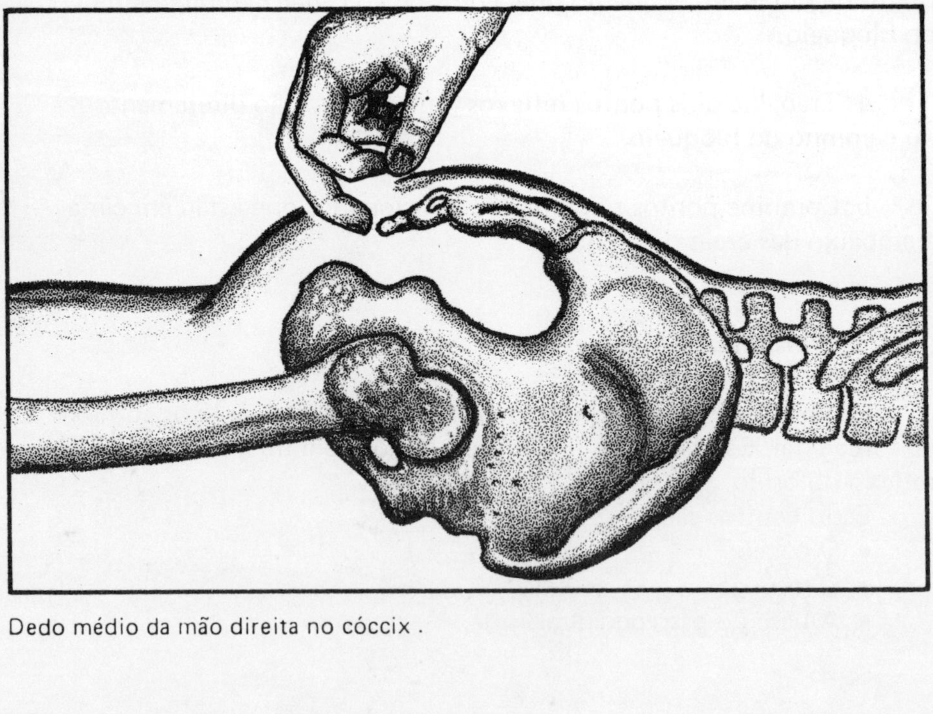

Dedo médio da mão direita no cóccix .

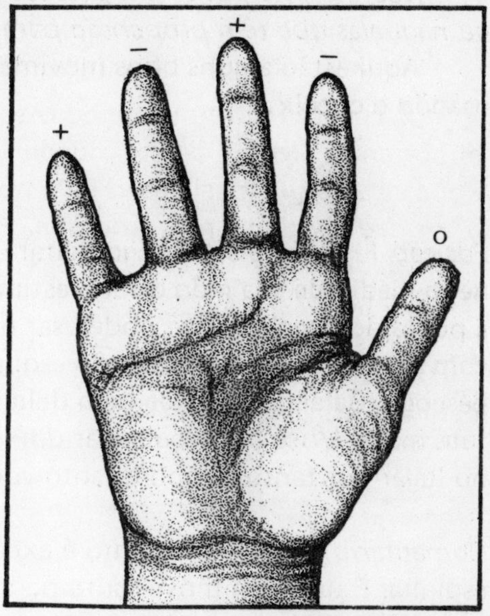

Cargas de polaridade da mão.

***Nota:** Cada um dos seus dedos tem uma carga.
O dedinho tem carga positiva.
O anular tem carga negativa.
O médio tem carga positiva.
O indicador tem carga negativa.
O polegar tem carga neutra.

Você pode mandar uma corrente carregada positivamente ao máximo através de uma zona negativa, como o cóccix, usando o dedo médio da mão direita. Igualmente, use o dedo indicador da mão esquerda quando estiver trabalhando uma zona carregada positivamente ao máximo, como a cabeça. Para obter mais teoria, procure o livro do Dr. Stone.

Não use este ponto em pessoas que têm pressão muito alta, ou naquelas que têm propensão para epilepsia.

Aqui estão alguns bons movimentos gerais que você pode fazer usando o cóccix:

Posição 1: Faça o seu amigo deitar do lado esquerdo. A ponta do seu dedo médio da sua mão direita estimula delicadamente e massageia a ponta do cóccix. Você pode usar uma massagem delicada e vibrante com seu dedo direito. Sua mão esquerda fica na parte de trás do pescoço. Balance a pessoa bem delicadamente, usando as palmas das suas mãos. Você pode balançar um longo tempo, deixando suas mãos no lugar por tanto tempo quanto você sentir a força vital.

Comentário: Este movimento é excelente para aliviar tensão na espinha. É um bom movimento para se incluir como parte da sessão geral. Para dor nas costas, muitas vezes leva vinte e quatro horas para que os resultados totais se tornem aparentes.

A fim de alcançar a ponta do cóccix é necessário que a pessoa que recebe a polaridade esteja parcialmente vestida. O benefício máximo é obtido no movimento do cóccix se o dedo médio estiver bem na ponta do cóccix. Porque o cóccix está perto do ânus, muitas pessoas gostam de cobrir o dedo com um tecido por razões de higiene.

É comum que esse ponto seja dolorido, portanto seja bem delicado no começo.

Posição 2: Com seu amigo deitado sobre o estômago, o dedo médio da sua mão direita toca a ponta do cóccix. O resto da sua mão direita fica cobrindo parte das nádegas. Sua mão esquerda pode estar estimulando pontos reflexos doloridos nas costas. Faça o balanço com a mão direita.

Comentário: Muitas vezes você encontrará pontos reflexos doloridos cerca de meio centímetro em ambos os lados da espinha. Pressione esses pontos usando o polegar e o indicador da sua mão esquerda.

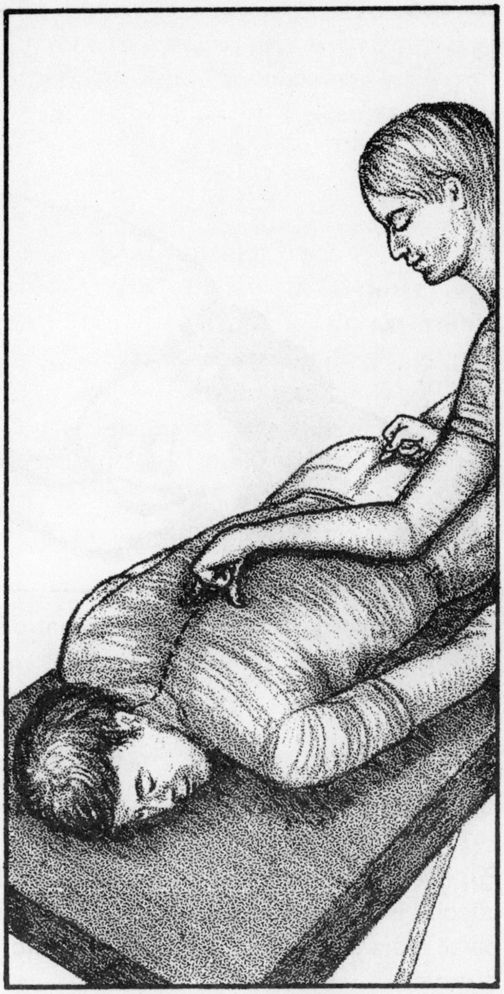

Polarizando força vital através da espinha.

Balance de maneira rítmica e suave como nos outros movimentos de balanço. Quando você parar o balanço, permaneça com suas mãos no lugar enquanto você sentir a troca de força vital entre elas.

Este movimento ajuda a aliviar tensões e equilíbrios correspondendo aos órgãos reflexivos.

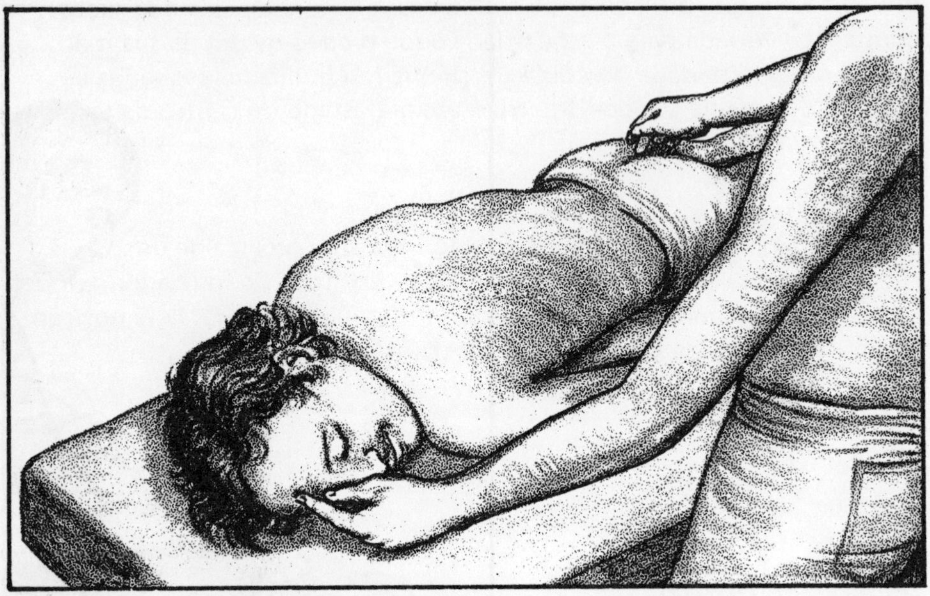

Polarizando energia entre o cóccix e o centro entre as sobrancelhas.

Posição 3: Novamente ponha o seu dedo médio direito na ponta do cóccix, e sua mão esquerda pode estimular os pontos doloridos à volta da parte mais alta do occipital. Fica opcional o balanço com a sua mão direita.

Comentário: Aqui nós estamos ligando dois centros dinâmicos, o que cria um efeito muito poderoso. Este movimento é bom para equilibrar a força vital através da espinha e todos os órgãos reflexivos. Toda vez que suas mãos estão mandando energia através da espinha, como aqui, ela será de ajuda para as dores nas costas.

Se você balança o corpo neste movimento, balance somente com a palma da mão direita.

Posição 4: Fique do lado esquerdo do seu amigo, que está de bruços, com a face voltada para a esquerda. Toque o dedo médio da sua mão direita na extremidade do cóccix, e ponha seu indicador esquerdo em contato de energia um centímetro e meio afastado do centro da testa.

Comentário: Permaneça com seu dedo indicador a cerca de um centímetro da pele com seu polegar tocando a base do indicador, e todos os outros dedos juntos frouxos, a mão um pouco fechada. Esta posição aumenta o poder de canalizar através da mão esquerda.

O Centro do Umbigo

O centro do umbigo também tem um especial valor. Você pode polarizar e ligar esse centro a inúmeros pontos ou a outros centros-chave do corpo. Lembre-se de que *para atingir qualquer órgão particular ou área do corpo o essencial é mandar energia através daquela parte do corpo.* O umbigo é central para o dorso e é altamente receptivo ao fluxo de força vital.

Aqui vão alguns exemplos de movimentos gerais usando o centro do umbigo:

Posição 1: A pessoa se deita de costas, com as solas dos pés juntas e os joelhos dobrados. Sua mão direita segura os dedões de ambos os pés, enquanto sua mão esquerda descansa sobre o umbigo.

Comentário: Este movimento manda um forte fluxo de energia para o centro do corpo e será útil para qualquer distúrbio na parte baixa pélvica central.

Posição 2: Usando sua mão direita, pressione a parte interna ou externa do calcanhar do pé esquerdo ou direito. Sua mão esquerda fica no centro do umbigo.

Comentário: Este é outro movimento excelente para distúrbios na parte baixa da pelve. Acomode-se para que a posição da sua mão seja confortável.

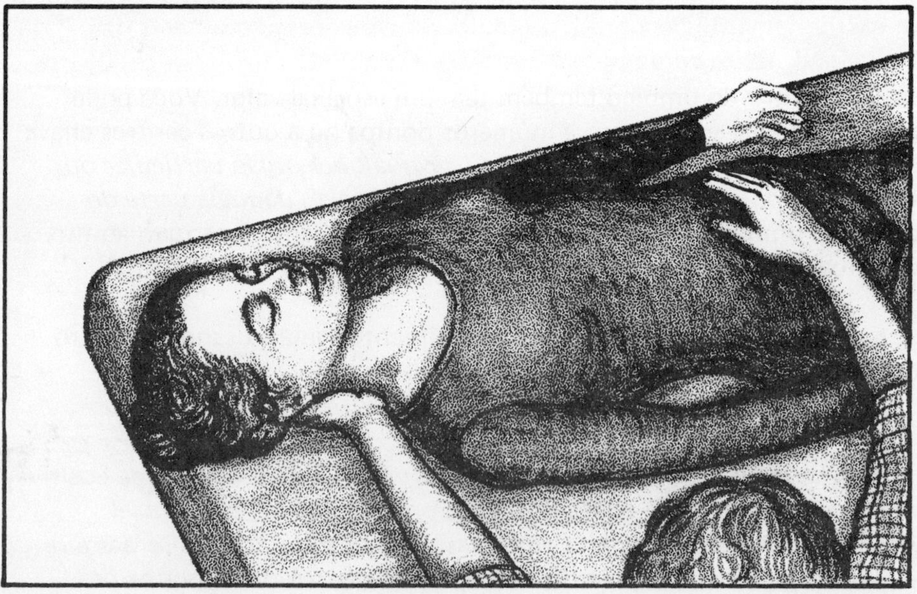

Centro do umbigo e atrás do pescoço.

Posição 3: Friccione suas mãos, e ponha sua mão direita sobre o centro do umbigo de maneira que o polegar fique no umbigo (não use pressão). Ponha a sua mão esquerda sob a parte traseira do pescoço.

Comentário: Este movimento é muito confortável e relaxante, beneficiando totalmente todos os órgãos entre suas mãos.

Posição 4: Faça seu amigo ficar no lado esquerdo. Ficando atrás da pessoa, você põe seu dedo médio direito no cóccix, e sua mão esquerda levemente acima do centro do umbigo. Não use pressão.

Comentário: Este movimento é bom especialmente para a área pélvica através da qual a força vital está sendo canalizada. Esta posição pode ser extremamente benéfica para mulheres grávidas ou mulheres que trabalham, assim como para pessoas com problemas urinários ou outros distúrbios pélvicos.

A Base do Osso Occipital

A base do osso occipital, no alto da espinha, tem uma carga positiva muito poderosa. Você pode usar este ponto de ligação para trazer relaxamento para a espinha e órgãos do corpo. Ligue a base do osso occipital, ou mesmo a parte de trás do pescoço, a outros pontos doloridos que você descobrir.

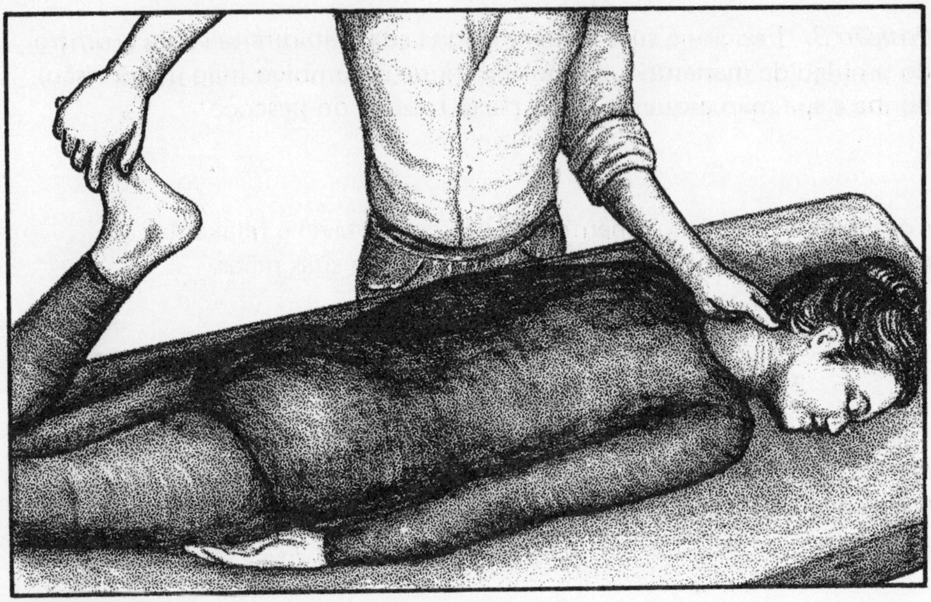

Trabalhando as correntes longas entre os pés e o osso occipital.

Posição 1: Com seu amigo deitado de bruços, friccione suas mãos e ponha sua mão esquerda sobre a base do osso occipital, atrás do pescoço. Com a sua mão direita faça o balanço do ventre.

Comentário: Este movimento é de grande benefício para o aparelho respiratório e digestivo, assim como para o coração e parte superior das costas. Todos os órgãos entre suas mãos tirarão proveito através da polaridade.

Posição 2: Com seu amigo de bruços, ponha sua mão esquerda atravessando a base do osso occipital. Com sua mão direita estimule quaisquer pontos doloridos nos pés, barriga da perna, pernas, costas ou à volta das juntas principais do corpo.

Comentário: Há muitas maneiras possíveis de canalizar energia de maneira polarizada. Cada ponto dolorido, quando polarizado, libera mais energia bloqueada no organismo. A energia polarizada irá onde for necessário e fará o que for preciso; tudo o que você tem a fazer é liberar a força vital.

Posição 3: Com seu amigo deitado de bruços, coloque sua mão esquerda sobre o occipital, e com sua mão direita procure pontos doloridos nas nádegas.

Comentário: Se você apalpar os lados dos órgãos genitais, encontrará uma saliência óssea que é a base do osso púbico. Muitas vezes há muitos pontos doloridos nessa saliência. Não se atrapalhe com o grande tendão que se localiza em cima do osso púbico. Pode ser mais confortável trabalhar esta área com seu amigo deitado de costas.

Este movimento é muito poderoso porque você está trabalhando uma corrente entre uma forte zona positiva e uma negativa do corpo.

Revisão dos Movimentos Específicos

1. Localize os pontos doloridos.
2. Trace seus pontos reflexos.
3. Trabalhe os pontos doloridos principais.
4. Polarize-os com correntes verticais e diagonais.
5. Mande energia através daqueles órgãos e áreas do corpo que refletem o maior bloqueio.
6. Use os centros dinâmicos e ligue-os aos pontos doloridos específicos.
7. Finalize a polaridade com os movimentos finais da sessão um-a-um. Seja criativo e sinta-se livre para usar sua intuição.
8. Dê ao seu amigo um copo grande de chá de ervas, suco ou água depois de sessões fortes.

Lembre-se:

Uma série de sessões é muito mais valiosa do que uma sessão ocasional, a força vital no seu estado natural flui através de caminhos bem definidos. Tudo o que você tem a fazer é circular através dessas áreas que revelam maior bloqueio, e a força vital fará o resto.

O AMOR É O MELHOR CURADOR

Por séculos, muitos disseram que
o amor é o melhor curador.
Amor é o poder da força vital.
Se o amor se torna bloqueado,
a força vital será bloqueada,
e o corpo refletirá isso.
Não precisamos, porém, tentar criar amor,
pois o amor é nossa natureza verdadeira e natural.

SEÇÃO IV

O CÍRCULO DE POLARIDADE

O círculo de polaridade é uma inovação no sistema de polaridade. Tem a vantagem de não usar pressão e toque físico como técnicas, sendo totalmente sem dor. As crianças adoram o círculo de polaridade, e é tão simples de se aprender que uma criança de seis anos pode fazê-lo perfeitamente em apenas alguns minutos.Em termos de alívio, o círculo pode ser tão ou mais poderoso que a sessão de polaridade um-a-um.

O círculo de polaridade é composto de seis pessoas que formam um circuito para canalizar sua energia amorosa numa sétima pessoa. A pessoa que recebe a polaridade é o centro do círculo, e não tem nada a fazer senão relaxar, fazer algumas respirações profundas e estar desejando experimentar um crescente sentido de bem-estar.

Para maior comodidade pode ser útil usar uma mesa de massagem para o círculo de polaridade, que também pode ser feito no chão.

O som sânscrito "OM" tem sido usado na Índia por milhares de anos, criando um benéfico efeito de harmonia, vibração e relaxamento. Durante o círculo de polaridade, é de ajuda se cada um cantar o som "OM". Quando cantado, o "O" é longo e o "M", curto, assim: "OOOOOOOOOOOOOOOOOOOOOOOOOOOOMMM". O efeito parece maior se houver harmonia nas vozes. A pessoa que recebe, porém, só ouve.

Posições do Círculo de Polaridade

Pessoa n.º 1: Balance a cabeça sem usar pressão. É melhor quase não tocar a pessoa, enquanto deixa suas mãos relaxadas. O dedo indicador e médio ficam para baixo, ao lado do pescoço, enquanto o polegar fica ao lado da orelha. (Veja página 40.)

Pessoa n.º 2: Fique do lado direito da pessoa. Delicadamente ponha sua mão esquerda na testa e coloque sua mão direita no começo da caixa torácica no centro do corpo. Não use pressão.

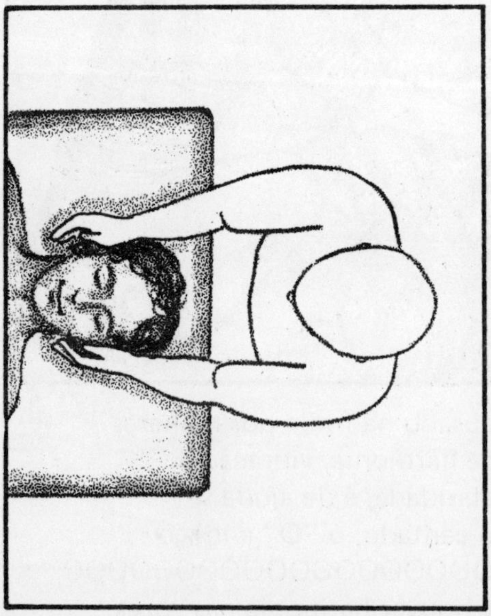

Posição 1.

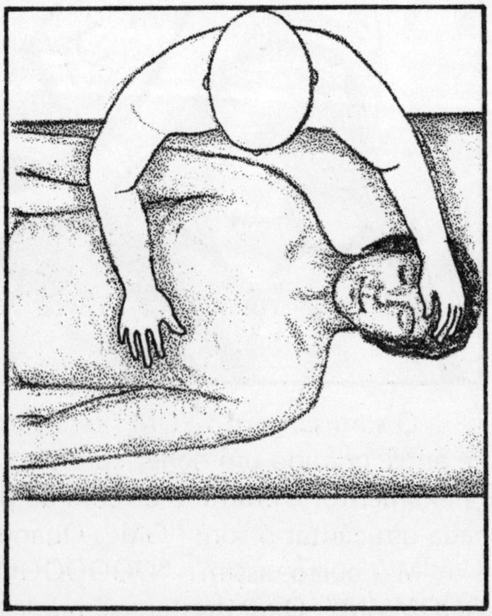

Posição 2.

Pessoa n.º 3: Fique do lado direito da pessoa. Ponha sua mão direita no osso do quadril esquerdo e sua mão esquerda no ombro direito. (Veja página 73.)

Pessoa n.º 4: Fique do lado esquerdo da pessoa. Ponha sua mão esquerda no quadril direito da pessoa e sua mão direita no ombro esquerdo. (Veja página 73.)

Pessoa n.º 5: Fique do lado direito da pessoa. Sua mão direita segura o pé esquerdo da pessoa e sua mão esquerda segura a mão direita. (Veja página 70.)

Pessoa n.º 6: Fique do lado esquerdo da pessoa. Sua mão esquerda segura o pé direito, e sua mão direita segura a mão esquerda da pessoa. (Veja página 70.)

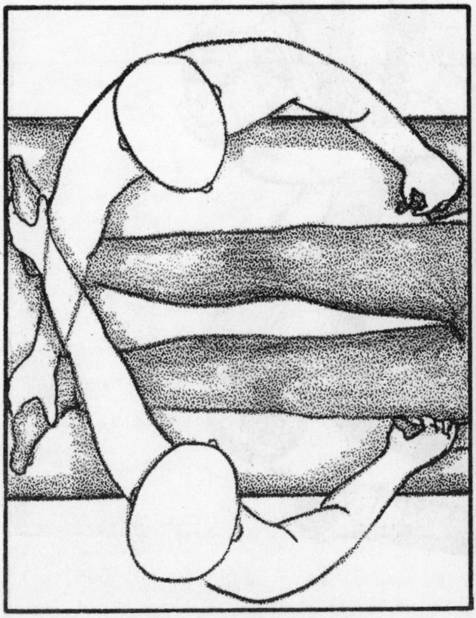

Posições 5 e 6.

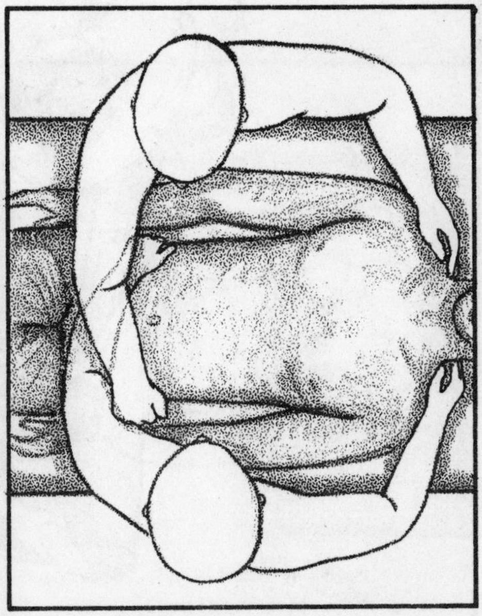

Posições 3 e 4.

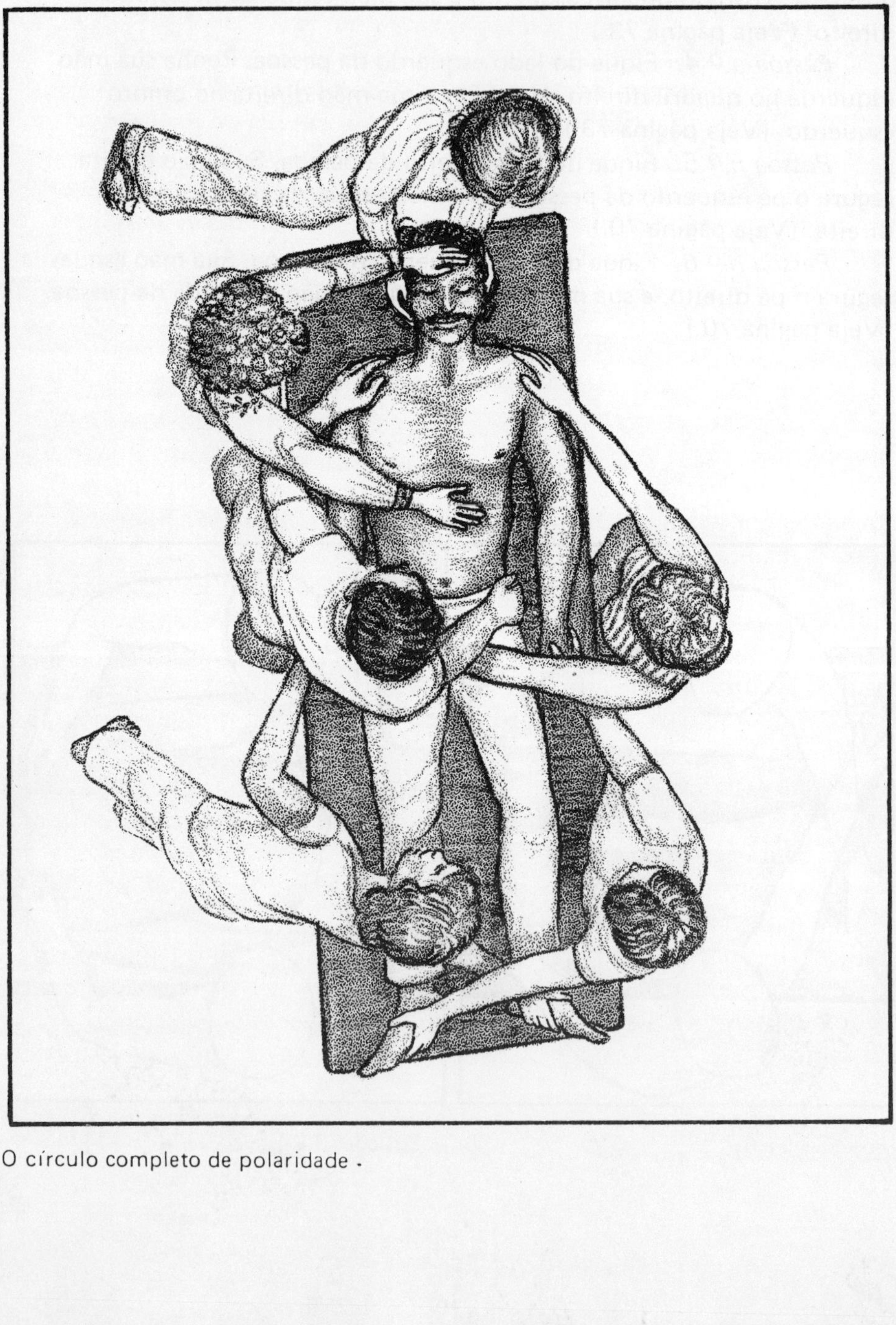

O círculo completo de polaridade .

Procedimento no Círculo de Polaridade

1. Diga à pessoa que recebe a polaridade que relaxe. Faça-a realizar doze respirações lentas e profundas, relaxando um pouco mais em cada uma.

2. Quando se aplica a polaridade, é importante para todos friccionar suas mãos vigorosamente por meio minuto. Agora, ponha-as a alguns centímetros de distância da pessoa perto de você, com as palmas de frente uma para a outra. Quando a energia estiver forte, comece.

3. Ponha as mãos nas posições indicadas tocando somente a pessoa que recebe a polaridade.

4. As pessoas em posição número três e quatro balançarão os quadris da pessoa para frente e para trás, ritmicamente. Trabalhe junto para balançar suave e delicadamente. Não balance os ombros.

5. Comece o "OM". Lembre-se de enviar seu amor. Continue com o balanço por cinco a quinze minutos. As sessões longas são muitas vezes as melhores. Então, use sua própria intuição como guia.

6. Pare o "OM" e o balanço e *deixe suas mãos no lugar.* Continue vibrando amor. Neste ponto, a energia deve estar circulando através da pessoa que está recebendo a polaridade, enquanto aqueles que estão dando a polaridade podem sentir a energia fluindo através das suas mãos. Enquanto a sensação de energia for forte, todas as pessoas deverão deixar suas mãos no lugar. Quando a força vital não for mais sentida, o trabalho estará feito.

7. Agora retire as suas mãos da pessoa, conservando-as de dois a quinze centímetros acima da posição original. Sinta o espaço no qual a energia é mais forte e conserve suas mãos nessa posição até que a energia tenha praticamente se dissipado.

8. Tire suas mãos e deixe a pessoa descansar por tanto tempo quanto ela queira. Sacuda suas mãos como se estivesse borrifando água, e então lave-as com água fria. Isto elimina e remove energia estática. A energia estática pode ser sentida como um peso ou inchaço em suas mãos.

9. Dê à pessoa que recebeu a polaridade um copo de água, suco ou chá de ervas.

A INTEGRIDADE DA NATUREZA

Até que o homem possa copiar uma folha de grama, a Natureza pode rir de seu assim chamado conhecimento científico. Remédios da química nunca estarão em nível de igualdade com os produtos da Natureza – as células vivas das plantas, o resultado final dos raios do sol, mãe de toda a vida.

— Thomas Edison

SEÇÃO V

CURA NATURAL COM FORÇA VITAL

A Célula

Toda vida é constituída de células. "Cada célula da corrente sanguínea, cada corpúsculo é um universo total em si", escreveu Edgar Cayce em seu livro *Dieta e Saúde.* O corpo humano contém mais de 100 trilhões de células. Cada célula tem aproximadamente 100.000 genes diferentes. Esses genes são feitos das cadeias espiraladas de DNA, que contém em código genético uma cópia de todo o corpo. Isto significa que *cada* célula microscópica tem um mapa genético de todo o corpo humano, que contém 100 trilhões de células vivas, reprodutoras e autocuradoras.

Essas moléculas de DNA são tão incrivelmente enroladas estreitamente que se elas fossem desenroladas, emendadas e esticadas, cobririam a distância de 74 bilhões e 320 milhões de milhas, distância suficiente para ir da terra ao sol e voltar 400 vezes. Ainda assim este DNA pode caber no espaço do tamanho de um cubo de gelo.

A todo momento há milhares de mudanças acontecendo a nível molecular dentro de cada célula, sendo que muitos desses acontecimentos se processam num milionésimo de segundo.

Tentar compreender a complexa e intrincada precisão de uma única célula é humilhante para o intelecto.

Eu sugiro que você pare e pense sobre isto.

Medicina Moderna e
Consciência Integral de Saúde

A medicina moderna é a ciência e a arte de diagnosticar e tratar doenças. Mais de 50.000 doenças já foram catalogadas.

O cuidado da saúde integral é baseado no estudo da saúde e da totalidade. A visão integral é a de que quando todas as partes da pessoa — corpo, intelecto, emoções e espírito — estão em equilíbrio, a pessoa está externando saúde. E para aprender tudo sobre saúde, o melhor a se fazer é estudar pessoas saudáveis. A intenção do curador integral está focada no cuidado preventivo, tratamentos naturais e a responsabilidade pessoal de cada pessoa por sua própria saúde.

Quando uma pessoa tem um resfriado, a pergunta típica é: "Como você elimina esses sintomas desagradáveis?" Os sintomas indicam uma condição que está fora do equilíbrio e expressam a tentativa do corpo de corrigir a si mesmo. *A supressão dos sintomas pode ser uma "cura" superficial e perigosa, por tratar os efeitos e passar por cima da verdadeira causa.* Que tal perguntar assim: "Por que o corpo escolheu eliminar mucosa ou ter febre? Como poderemos restaurar a saúde para as células?" *A infinita complexidade do corpo expressa uma sabedoria acima da compreensão intelectual.*

As drogas podem somente estimular quimicamente ou suprimir a ação das células. E nosso conhecimento sobre drogas é baseado em evidências empíricas, isto é, pela triagem e observação do efeito de cada droga. *As drogas não curam as pessoas, somente a célula é capaz de curar a si mesma.* O melhor que podemos fazer é respeitar a sabedoria da célula. Se criarmos o meio correto para nossas células, elas se curarão a si mesmas!

De qualquer forma, a medicina moderna merece grande respeito. Conseguiu grande sucesso ajudando as pessoas em tempos de crise. Em casos de defeitos congênitos, doenças infecciosas, danos traumáticos e muitas outras condições, a medicina e cirurgia alopáticas fazem milagres.

A longo prazo, entretanto, cuidado preventivo é mais fácil, menos doloroso, mais barato e muito mais eficiente do que o trabalho em crise.

Entremos em Concordância

É a natureza do corpo que cura a si mesmo. O impulso de autopreservação é biologicamente muito forte, e o corpo humano fará todo o possível para manter e curar a si mesmo.

A saúde e a cura precisam acontecer a um nível celular. Portanto, para se ter um tecido saudável é necessário ter células saudáveis.

As células sararão e se regenerarão rapidamente se lhes for dado um meio favorável. Assim como uma planta precisa da luz do sol, de solo bom e de água, nossas células têm necessidades específicas.

Um meio favorável para nossas células tem:

- pensamentos e sentimentos de alta qualidade;
- alimento de alta qualidade;
- exercício vigoroso regular.

A Qualidade de Pensamentos e Sentimentos

A polaridade é um método eficiente para recarregar a força vital e para equilibrar os nossos estados físico e emocional. Conservar-se saudável, no entanto, requer mais. Para que se obtenham resultados duradouros, também precisamos lidar com as causas do desequilíbrio — que podem muitas vezes ser descobertas para que se trabalhe as condições, relações pessoais ou estilo de vida. Relaxar uma pessoa tensa é benéfico. Mas para ser curada, aquela pessoa deve também corrigir as causas do desequilíbrio.

Em primeiro lugar está nosso equilíbrio emocional. Nossos pensamentos e sentimentos afetam nossa saúde. A medicina psicossomática mostrou que a maior parte das doenças é auto-induzida mentalmente. Durante um trauma emocional, é comum que as pessoas adoeçam. Esposos idosos muitas vezes morrem um logo após o outro. Depois de deixarem seus trabalhos, pessoas que não encontram alguma nova atividade que as interesse tornam-se aborrecidas e deprimidas, e podem morrer de alguma doença. Por outro lado, você já prestou atenção como as pessoas "tornam-se vivas" quando elas estão sentindo bastante amor? As indisposições físicas desaparecem, a pessoa brilha, refletindo sentimentos mais brilhantes. Quando as pessoas estão felizes e entusiasmadas, as possibilidades de adoecerem são muito ligeiras. As atitudes e emoções afetam não somente nossa saúde pessoal, mas também a duração da vida. Portanto, é necessário cultivar a mais alta qualidade de atitudes e emoções.

A questão surge: "Por que o esgotamento emocional afeta adversamente nossa saúde?". Primeiro compreendamos que nossos pensamentos ocasionam mudanças definitivas em nossas células. Isto porque *os efeitos de cada pensamento e sentimento ressoam dentro de cada célula.* A doença causada pela mente é uma realidade física.

O amor é o poder da força vital. Diz-se muitas vezes que estar amando faz uma pessoa se sentir toda hilariante e radiante por dentro. Este sentimento de hilariedade é um estado de abertura no qual a força vital surge livremente através do corpo. O amor é tido como o melhor curador. *Se o amor se torna bloqueado, o corpo refletirá esse bloqueio.* Pensamentos positivos e relaxados permitem que o máximo de força vital circule, resultando em melhora de saúde, energia e felicidade. Sentimentos de depressão ou ódio obstruem o fluxo de força vital. *Quando seus pensamentos e sentimentos são de amor ou ódio, sobre o passado, o presente ou o futuro, sobre outras pessoas ou sobre você mesmo, suas células experimentam pessoalmente a qualidade vibratória que repercute como resultado, e isso afeta diretamente o seu bem-estar.*

Nós, naturalmente, acreditamos que o que nossa mente nos diz é verdade. No entanto, as mensagens da mente são muitas vezes coloridas pelos condicionamentos que recebemos durante nosso crescimento. Temos a habilidade de superar esse condicionamento se escolhermos exercitar nossa vontade. Há muitos instrumentos para nos ajudar. Aqui estão algumas indicações:

Pensamentos Positivos: Preste atenção em cada um dos seus pensamentos, como se você estivesse assistindo a um programa de televisão. Você não compra tudo o que vê na tela. Assim, não há necessidade de comprar tudo o que aparece na sua mente. O modo como nós sentimos a nós mesmos molda dinamicamente nossas vidas, e nossas crenças estruturam nossa realidade. Se um homem acredita que é atraente e merecedor de amor, ele projetará isso e as pessoas o confirmarão. Da mesma forma, o oposto é verdadeiro. Você não tem que se identificar ou se sentir vítima das suas formas já gastas de pensamentos. *Você pode escolher seus pensamentos. Pergunte a si mesmo: "Este pensamento me traz amor e harmonia?"* Se traz, ótimo. Se não, reconheça que os pensamentos podem ser úteis ensinando a você mais sobre você mesmo — incluindo o que precisa ser mudado.

Quanto mais você se identifica com um pensamento, mais poder ele tem e mais ligado a você ele se torna. Digamos, por exemplo, que o pensamento "eu não sou atraente" entre na sua mente. Se você acreditar nesse pensamento, estará ligando uma carga de 100 volts de desapontamento nele. Uma maneira alternativa de lidar com o negativo é deixar que você experimente gratidão e diga: "Obrigado pensamento, por me mostrar o que eu estava sendo treinado para acreditar. Obrigado por me proteger das situações sociais que me amedrontavam no passado. Obrigado por me ajudar a saber o que é não amar a mim mesmo, pois agora eu posso ter mais compreensão, amor e perdão para mim e para os outros. Mas agora eu não preciso mais de você. Obrigado e adeus." *Gratidão é um antídoto para o esgotamento.*

Não mais se identificar com um pensamento pode fazer você livre dele. Desacredite das figuras negativas que você tem sobre você mesmo. Elas só são verdadeiras se você acredita que elas assim o sejam. *Você* não é os pensamentos que você tem, por que *você* tem o poder de conservar um pensamento ou de deixá-lo ir. Não seja escravo dos seus condicionamentos e treinamentos de infância. Conscientemente crie um pensar positivo. Logo seus pensamentos positivos serão mais reais do que os negativos. As dificuldades que experimentamos hoje nos ajudam a crescer, pois elas nos ensinam compaixão e perdão. Nossas dificuldades nos oferecem uma preciosa oportunidade de escolher o amor novamente.

Podemos tirar carga de nossas vidas ousando sintonizar nossas mentes numa estação positiva. Já podemos assumir o ponto de vista de que nós já amamos a nós mesmos, e sempre o faremos, incondicionalmente. Nós amamos quem nós somos, onde estamos, as pessoas com as quais convivemos e o que estamos fazendo. Você se torna o que você pensa. Então, por que não se sentir corajoso, inspirado, bem-sucedido, feliz, saudável e amoroso? Consciente e ativamente crie pensamentos positivos. A vida não é difícil, é desafiadora. Não há erros ou problemas, somente oportunidades para aprender. Ser positivo é uma escolha e nós temos o poder para ver toda situação como uma experiência de aprendizado, que contribui para nosso crescimento pessoal.

Falar Positivo: A palavra falada é muitas vezes mais poderosa do que o pensamento. Ouça o que você e os outros falam. Com prática, você pode criar um falar totalmente positivo para caminhar junto com pensamentos e atitudes positivas.

Companhia Positiva: As pessoas com as quais interagimos têm uma influência importante em nossas vidas. Para provar isso por si mesmo, apenas observe como você muda ao lado de pessoas muito positivas ou negativas. É nossa escolha se queremos ser positivos, inspirados, entusiasmados e felizes — e também é nossa escolha se conservamos a companhia de pessoas que reforçam ou inibem essas qualidades em nós.

Ambiente Positivo: A atmosfera em que vivemos nos afeta. Usando decorações atrativas, o humor de uma sala pode ser mudado. Existe uma sensação boa quando se vive num ambiente que é agradável a você e aos outros é convidativo. Nosso ambiente pessoal é muitas vezes um reflexo dos nossos sentimentos mais íntimos. É bom que se trabalhe em todos os níveis.

Ações Positivas: Ajudar aos outros sem egoísmo faz com que todos se sintam melhor. Quando você se vê praticando boas ações, você se sente melhor consigo mesmo. O meio mais seguro de parar de pensar sobre sua própria situação é ajudar alguém que realmente necessite de ajuda. Se você usar sua criatividade, inúmeros meios de servir aos outros vêm à sua mente. Por exemplo, você pode levar flores, baralhos, música ou mesmo um sorriso e conversa para casas de repouso. Você pode oferecer, voluntariamente, seu tempo para alguma organização beneficente. Você pode escrever mensagens positivas em cartões 3 x 5 e entregá-las nas imediações de escritórios, de casas ou em supermercados. Você pode dizer alô e enviar amor a todo mundo que você vê, ou comprar livros que lhe dão inspiração e dá-los a amigos. As possibilidades são sem limites. E é muito divertido fazer isso.

Você pode criar uma vida positiva através dos seus pensamentos, do seu falar, da companhia, do meio ambiente e de ações. Para ajudá-lo estes livros são altamente recomendáveis:

I DESERVE LOVE, por Sondra Ray
Les Femmes Publishing

HANDBOOK TO HIGHER CONSCIOUSNESS, por Ken Keyes Jr.
Living Love Center

THE LAZY MAN'S GUIDE TO ENLIGHTENMENT, por Thadeus Galas
The Seed Center

Nutrição e Atitudes

Para que se permaneça com força vital, é necessário comer alimentos de alta qualidade natural e ter atitudes positivas. É mais fácil manter uma boa dieta quando ela é alicerçada em boas atitudes. Igualmente, é mais fácil manter atitudes positivas enquanto se mantém uma boa dieta. Mudar hábitos alimentares antigos em alguns casos pode causar esgotamento e o esgotamento pode anular os benefícios de uma dieta aperfeiçoada. A melhor maneira na mudança de hábitos dietéticos é caminhar suave e calmamente nos novos modelos de saúde e de vida. Se a mudança da sua dieta lhe causa desequilíbrio emocional ou físico, vá mais devagar e deixe a mudança acontecer numa velocidade que você possa controlar. Sinta prazer em cada passo do caminho.

Os três primeiros princípios da boa nutrição estão relacionados com as próprias atitudes.

1. *Coma quando você estiver num estado de mente relaxado.* A fim de obter o máximo valor do alimento que você ingere, não coma quando estiver cansado ou muito excitado. Se você precisa ingerir alguma coisa, tome um suco ou um chá de ervas.

2. *Goste do que você come e nunca critique seu alimento.* Para a maioria das pessoas, o alimento satisfaz algumas necessidades emocionais. Se você vai comer alguma coisa que você acredita que não vai ser boa para você, pelo menos sinta no que você come. Se você sente máximo prazer, o alimento tem maior possibilidade de ser digerido. Ainda mais, você não fará gulodice, nem se sentirá culpado por comê-lo.

3. *Permita-se comer aquilo que você deseja e quando quer.* Quando você começa um novo programa dietético, é importante não se privar das coisas especiais que você possa desejar. Se você se condena por alguma coisa, ela será mais desejada. Nós atraímos as coisas das quais mais resistimos. Como exemplo, suponha que uma pessoa queira tomar sorvete, mas sente que não deveria fazê-lo. Então, toda vez que ele diz não ao seu desejo por sorvete, esse desejo aumenta. Em níveis emocionais ele sente como se estivesse se privando daquilo que ele quer. Finalmente, quando o desejo vence, ele pode acabar comendo sorvete excessivamente

e com sentimentos de culpa. A culpa é provavelmente pior do que o sorvete. Se você sabe que pode ter o que quiser, quando quiser, não haverá sentimentos de culpa que possam fazer alguma coisa. Sinta-se bem consigo mesmo, independente do que você faça, e a moderação virá facilmente.

4. *Inclua alimentos naturais gradualmente na sua dieta.* Se você está pensando em acrescentar alimentos naturais que você apreciaria em sua dieta, não haverá necessidade de se sentir prejudicado ou privado de alguma coisa. Toda vez que você acrescenta alguma coisa de que gosta na sua dieta, você tem uma boa sensação, sem sentir falta de coisas que comia antigamente. Ainda, coisas saudáveis acrescentadas automaticamente significam que você não comeu outra coisa de qualidade provavelmente inferior. Isto ajuda na segurança de que novas mudanças podem acontecer.

Outro modo de usar substituições é em situações de muita fome. Se você deseja de maneira muito forte um alimento que você pensa que não deveria comer, eis aqui uma opção. Primeiro, saiba que você pode tê-lo no momento em que você quiser. Depois, verifique consigo mesmo e veja se há alguma coisa a mais de melhor qualidade que você preferiria mais. Por exemplo, se alguém deseja intensamente sorvete, mas pára e pensa por um momento, poderia pôr no lugar do tão desejado sorvete um forte desejo por morango com iogurte. Adicionando alimentos de qualidade superior, satisfazemos as necessidades emocionais e físicas num nível mais alto de satisfação.

5. *O alimento precisa ser digerido para ser assimilado.* O alimento precisa ser digerido em primeiro lugar, antes que ele seja de valor para as células. Amidos não-digeridos podem fermentar e proteínas não-digeridas podem se putrefazer. Isto pode ser pesado para o fígado e pode poluir o corpo. Aqui vão algumas sugestões básicas para a fácil digestão:

- *Coma quando você estiver com fome.* Quando seu corpo lhe diz para comer, seu organismo está preparado para ingerir comida. Seus sucos digestivos estão prontos para agir. Espere até você ter fome para fazer uma refeição. Os alimentos ingeridos quando você tem fome são mais satisfatórios e mais digeríveis e, portanto, mais nutrientes e mais gratificantes. Comer um sólido desjejum antes de sentir fome não é benéfico.

- *Coma moderadamente.* Moderação é essencial para uma digestão eficiente, boa assimilação e boa saúde. Se o seu organismo está sobrecarregado, ele não pode funcionar num alto nível. Tente comer um pouco menos a cada refeição, no princípio. Quando você se sente entusiasmado pela vida, comer pode ser divertido, mas não é o centro da atividade. Alimentos altamente nutritivos são mais satisfatórios. Então, suas células não mais lhe mandarão aquela mensagem de "sempre com fome".

6. *Coma alimentos naturais de alta qualidade.* Os alimentos da mais alta qualidade são aqueles que vêm a nós na sua forma mais natural. Como assinalamos, há um universo de complexidade dentro de uma célula. Quando o homem ousa modificar seu alimento, ele corre o risco de mudar coisas que ele não entende. Através dos tempos, os animais e seus alimentos têm-se desenvolvido juntos num equilíbrio delicado. Nenhum outro animal que não seja o homem modificou radicalmente a natureza do seu alimento com fogo, processos, preservativos, etc. Os animais comem o que está disponível em seu meio, na sua forma crua, natural. Para muitos, a dieta é muito simples.

A ciência da nutrição ainda está na infância. Sabemos que há carboidratos, proteínas, gorduras, vitaminas, minerais, enzimas e fibras, mas a maior parte do alimento parece ter sido negligenciada. Esta é a essencial força vital no alimento. Quase todos os animais ingerem seus alimentos em estado vivo. Os herbívoros comem capim, sementes, arbustos. Os carnívoros matam sua carne e a comem fresca e crua. Fazendo isto, os animais asseguram para si a obtenção da máxima força vital do seu alimento. A força vital é um fator essencial na alta qualidade da nutrição.

Há uma diferença principal entre alimentos naturais e os artificiais. É comum os cientistas dizerem que não há diferença entre o ácido ascórbico sintético e aquele encontrado naturalmente nas frutas. Talvez eles estejam deixando de ver o ponto principal. Os nutricionistas integrais diriam que há alguma coisa a mais a descobrir. Por exemplo, os métodos comuns de detecção não encontraram nenhuma diferença química entre uma pessoa viva e uma imediatamente após a morte.

A diferença está na força vital, não na química. Comer alimentos frescos, ricos em força vital, é diferente de comer comida enlatada, embora elas possam ser quimicamente idênticas.

Cozer, processar e preservar alimentos muda a estrutura complexa do alimento que comemos, de muitas maneiras:

- a força vital é destruída.
- as enzimas delicadas são destruídas.
- a fibra (necessária para uma eliminação saudável) é destruída.
- açúcares simples no alimento são muitas vezes convertidos em amidos mais complicados.
- muitas vitaminas são destruídas.
- os minerais podem ser perdidos.
- óleos naturais tornam-se gorduras saturadas.

Um primeiro passo para melhorar a sua dieta é aumentar a quantidade de frutas e vegetais frescos e crus que você come. Pelo menos uma vez por dia coma uma boa salada de vegetais variados. Enquanto faz isso, diminua a quantidade de açúcar, mel e álcool, assim como alimentos em conserva e refinados.

Para maior informação, recomendo ler os trabalhos de Paavo Airola e Bernard Jensen. Estes homens contribuíram muito no campo da nutrição.

DOCTOR-PATIENT HANDBOOK, por Bernard Jensen D.C., N.D.
Route 1, Box 52, Escondido, Califórnia 92025

ARE YOU CONFUSED, por Paavo Airola N.D., Ph. D.

HOW TO GET WELL, por Paavo Airola
Health Plus Publishers, Box 22001, Phoenix, Arizona 85028

REPARTIR A DÁDIVA

Agora que você teve a oportunidade de trabalhar
com a força vital — de experimentá-la, de ajudar
e de amar
Agora que você sabe...
... você pode começar a repartir.
Agora você tem as ferramentas para fazer o que nunca foi feito antes —
atravessar a ponte do espírito para a ciência.

SEÇÃO VI

CIÊNCIA E FORÇA VITAL

O uso da força vital é conhecimento antigo, mas até recentemente a ciência moderna ignorou ou se afastou desse fenômeno por causa da sua associação com a religião ou espiritualismo esotérico. A física de Newton estava ligada com o comportamento mecânico da substância material e mesmo o próprio Newton não se sentia à vontade sobre as implicações espirituais da força invisível da gravidade. Contudo, a visão mecanicista foi adotada pela profissão médica. As aulas de anatomia, na maior parte das escolas de medicina, vêem o corpo humano como uma máquina altamente sofisticada.

Quando Albert Einstein desenvolveu sua famosa fórmula $E = mc^2$ e mostrou que a matéria poderia ser convertida em energia, a dominante visão materialista começou a mudar na comunidade científica. Mas a ciência médica ficou atrasada, atada ao conceito mecânico do corpo humano e ignorando a interação da energia do corpo. A idéia de força vital foi levada a sério somente pelos médicos praticantes do movimento de saúde integral não estabelecido, um grupo tolerado mas dificilmente reconhecido pela maior parte dos médicos.

Nos últimos anos mudanças radicais de atitudes começaram a acontecer por causa de poderes extraordinários revelados por alguns indivíduos. Os feitos telecinéticos de Uri Geller, que é capaz de mentalmente mover ou entortar objetos como chaves ou colheres de metal, têm sido investigados por pesquisadores do Instituto de Pesquisas Stanford, do King's College, em Londres, da Universidade de Kent State e o do Departamento de Defesa Americano. Olga Worrall, a curadora espiritual, internacionalmente conhecida, provou num certo número de laboratórios científicos de universidades que ela pode criar ondas de turbulência dentro de quartos enevoados, sem tocá-los.* Fora de dúvida, ficou provado que algumas pessoas têm a habilidade de fazer uso da força vital de um modo que afeta a matéria física. É também interessante que desde que Uri Geller começou a fazer aparições públicas, muitas pessoas descobriram que têm a mesma habilidade.

A tradição de curar por "imposição das mãos" remonta pelo menos desde os tempos bíblicos. Isto não é surpresa, pois a força vital tem estado aí há tanto tempo quanto a própria vida! E é só porque os cientistas ocidentais têm estado preocupados em ver as propriedades da matéria que eles subestimaram as qualidades mais sutis da força vital.

"Não há 'coisas'; há somente interligações", diz Fritjof Capra, Ph. D., um físico que trabalhou nos laboratórios de pesquisa da Universidade da Califórnia e da Universidade de Stanford. No seu livro "O Tao da Física", o Dr. Capra discute como os relacionamentos da energia são a base do fenômeno tanto físico como mental. Agora que os cientistas reconheceram e começaram a fazer experiências com a força vital, não demorará muito para que a profissão médica comece a olhar para esta oportunidade excelente.

Os entendidos dizem que a profissão de cuidado com a saúde neste país está numa encruzilhada crítica. Os altos custos com os cuidados com a saúde e o aumento da prática descuidada estão preocupando ambos, médicos e pacientes, e nenhum dos grupos parece saber o que fazer a respeito. Historicamente, as crises têm servido para abrir caminho para novas descobertas. Desde que muitos médicos são pragmáticos, pessoas práticas querendo encontrar soluções práticas para os problemas, pode-se esperar que eles eventualmente adotem seriamente processos eficientes como o equilíbrio de energia polarizada.

A força vital é uma fonte inestimável e inesgotável — e está livre. Os médicos profissionais que a usam juntamente com a terapia convencional estão experimentando um maior grau de satisfação entre seus pacientes ao mesmo tempo que uma diminuição nos perigos dos processos mal praticados. Os doentes deveriam certamente poder esperar que os cuidados com a saúde diminuíssem drasticamente de preço em casos de doenças graves ou ferimentos. Todos seriam beneficiados.

***Nota:** Um quarto enevoado é um quarto fechado, usado pelos cientistas, que é supersaturado com vapor para revelar partículas carregadas em movimento pela sua ionização do vapor.

"Os princípios de polaridade como um inteligente fator fundamental de concordância e método em todos os campos de terapia", escreveu o Dr. Randolph Stone, o fundador do sistema moderno de polaridade. Porque a polaridade alivia sofrimentos tanto físicos como emocionais, e seu potencial parece quase que ilimitado.

Aplicações

Imaginando um pouco, é fácil sugerir possíveis aplicações da polaridade que beneficiariam ambos, saúde e sociedade. Eis aqui alguns exemplos de aplicações que me vêm à mente:

- Para as famílias usarem como um cuidado preventivo, ou antes da atenção do médico em crises ou emergências.
- Nos consultórios médicos antes e depois do tratamento com remédios.
- Nos hospitais para aliviar sofrimento e relaxar tensão.
- Nas cadeias e instituições mentais, onde os residentes poderiam praticar uns nos outros a fim de restabelecer e manter um sentido de bem-estar.
- Nas escolas, como educação básica, conjuntamente com os métodos de primeiros socorros. Mais ainda, quando uma criança está se comportando mal, o professor poderia sugerir uma polaridade. Em vez de punição, a criança deveria receber o amor de seus colegas.

Demonstração

Para demonstrar a polaridade e seus efeitos de força vital aos descrentes, aos curiosos ou àqueles simplesmente interessados em experimentá-la, as técnicas que não envolvem pressão ou toque físico são as melhores. Eu sugiro as seguintes:

- O embalo (veja página 40).
- O balanço do ventre (veja página 44).

- O movimento da dor de cabeça (veja página 24).
- Os movimentos finais (veja página 70).
- O círculo de polaridade (veja página 114).

Para aumentar os resultados da sua demonstração ao máximo, aqui estão três palpites valiosos:

1. Trabalhe em pessoas que estão com dores. Aqueles que estão fortes e saudáveis podem sentir facilmente a força vital, mas as pessoas com dores estão prontas para ter alívios dramáticos das aflições físicas ou emocionais.

2. Para resultados ótimos, dê sessões de polaridade quando você estiver se sentindo forte e saudável.

3. Não aplique uma polaridade depois que você ou a outra pessoa com a qual está trabalhando tenha feito uma refeição pesada. Alguma força vital é usada na digestão de alimentos, por isso a eficiência da sessão poderia ser reduzida.

A polaridade e o estudo da força vital são campos relativamente novos para investigação. Muitas novas descobertas estão esperando por aqueles que decidam fazer a pesquisa. Assim, também, há inúmeras perguntas básicas a serem respondidas. Aqui estão algumas que eu sinto que merecem exame:

- Será que o círculo de polaridade ajudará pessoas que estão morrendo a ter paz nas suas horas finais?
- Uma série de polaridades pode controlar o câncer?
- Por que algumas pessoas são mais receptivas à terapia da polaridade do que outras?
- Quais as mudanças fisiológicas que ocorrem durante uma sessão de polaridade?
- Quão eficiente seria um programa de polaridade total e contínuo para conservar uma saúde excelente — particularmente aqueles com dores crônicas e doenças freqüentes?

Durante anos, quando Benjamin Franklin fez seu papagaio voar e teve sua famosa experiência com iluminação, a força da iluminação sempre esteve presente — mas ninguém anteriormente tinha sido capaz de captá-la. Quando ele o fez, as pessoas disseram: "Bem, bem, mas de qualquer forma, para que serve esta eletricidade?"

A força vital parece ser uma forma sutil de eletricidade que tem o mesmo nível de compreensão que a eletricidade em bruto teve, há duzentos anos atrás. Os possíveis usos da força vital poderiam facilmente remodelar a consciência da humanidade nos próximos cem anos, mais profundamente do que o uso da eletricidade jamais será.

Para mais informações sobre polaridade, as seguintes organizações e indivíduos são sugeridos:

PIERRE PANNETIER POLARITY THERAPY CENTER
401 N. Glassell. Orange. Califórnia 92666

(Pannetier é o sucessor do Dr. Randolph Stone, fundador da terapia da polaridade.)

Os seguintes livros do Dr. Stone, podem ser obtidos com Pierre Pannetier:

Para o leitor amador, que deseja informação sobre manutenção da saúde:

EDIFICANDO A SAÚDE; SUMÁRIO; DIETA PURIFICADORA e POSTURAS FÁCEIS DE ESTIRAMENTO (4 livros).

As publicações restantes são livros técnicos:

Livro I, ENERGIA, é um trabalho introdutório que diz respeito à filosofia da polaridade.
Livro III, TERAPIA DE POLARIDADE, sobre a prática da terapia de polaridade.

FUNDAÇÃO INTERNACIONAL DE POLARIDADE
511 Main Street, Fort Lee, New Jersey 07024

DR. ED JARVIS (liderando a prática de polaridade)
572 Gibson, Pacific Grove, Califórnia 93950

O autor, Richard Gordon, pode também ser contatado através da Unity Press por aqueles que desejarem mais informações.

NOSSAS MÃOS SÃO UMA DÁDIVA

Através delas podemos canalizar o amor
dos nossos corações para aliviar
o sofrimento daqueles que estão
à nossa volta.

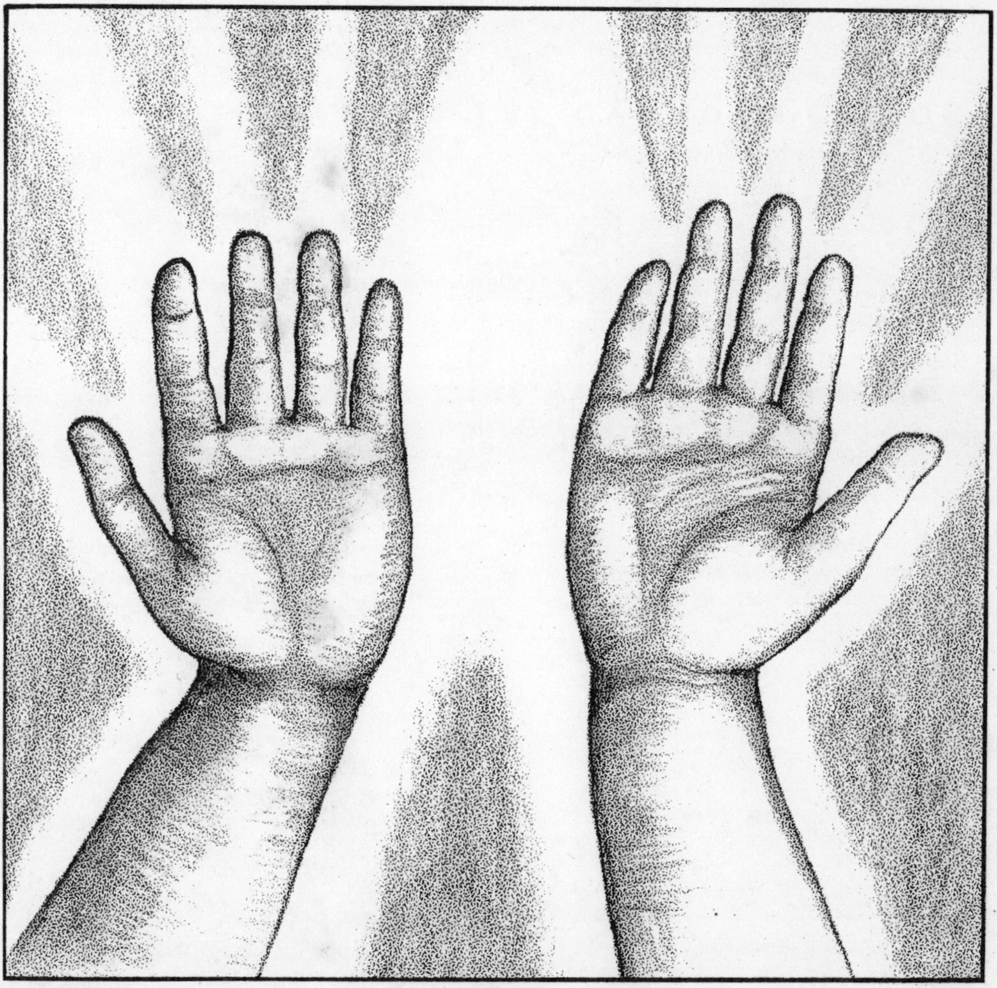

NOTA BIOGRÁFICA

Richard Gordon é um explorador criativo no campo da saúde integral, trazendo uma dádiva em conceitos pouco conhecidos e ajudando as pessoas a ter experiências de seu próprio potencial como curadores. Como pessoa que pratica o equilíbrio pela energia polarizada, Richard desenvolveu métodos tradicionais de polaridade, combinando-os com técnicas inovadas como o "Círculo de Polaridade", agora largamente aceito desde a sua introdução pelo Sr. Gordon. Richard viajou muito fazendo palestras para profissionais no campo da medicina, saúde mental, educação e consciência integral. Atualmente, ele está participando de um projeto de dissertação de Ph. D. para demonstrar as aplicações terapêuticas da força vital usando as técnicas de diagnóstico.

Editora Pensamento
Rua Dr. Mário Vicente, 374
04270 São Paulo, SP
Fone 272-1399

Livraria Pensamento
Rua Dr. Rodrigo Silva, 87
01501 São Paulo, SP
Fone 36-3722

Gráfica Pensamento
Rua Domingos Paiva, 60
03043 São Paulo, SP